KB134217

세상을 바꾼 영화 속 인권 이야기

-필름의 눈으로 읽는 법과 삶-

임복희 지음

오디세이북스

세상을 바꾼 영화 속 인권 이야기
-필름의 눈으로 읽는 법과 삶-

초판인쇄 2024년 6월 10일
초판발행 2024년 6월 18일
지은이 임복희
펴낸곳 오디세이북스
펴낸이 임복희
표지디자인 임수민
출판등록 제 2024-000036호
주 소 04969 서울시 광진구 아차산로 78길 75(광장동)
전 화 (+82)10-5021-8803
이 메 일 imunterwegs@hanmail.net

ISBN 979-11-987849-0-2(03360)
정가 25,000원

책을 내며

질 들뢰즈(Gilles Deleuze, 1925-1995)는 『시간·이미지』(*l'image·temps*)에서 "세계가, 우리가 더 이상 믿을 수 없는 나쁜 영화가 되어 버렸다면, 진정한 영화는 우리가 세계를 믿을 수 있는 충분한 이유가 된다"고 했다.

이 책은 신뢰를 잃어버린 세상에서 영화가 세상의 신뢰와 정의에 대한 믿음을 환기시켜 줄 수 있다는 들뢰즈의 바람이 재현된 18가지 영화 속 인권 이야기를 담았다.

영화는 2022년 방영된 법정 드라마 <이상한 변호사 우영우>를 재미있고 유익하게 시청했던 사람들이라면 누구나 공감할 수 있도록 선정했다. 특히 살아 있는 사람들이 만들어 온 참된 이야기인 실화를 바탕으로 제작된 영화 속 인권 이야기가 어떻게 세상을 바꾸었는지에 초점을 두었다.

그리고 미국 대다수 로스쿨에서 수업 중 영화를 보면서 민사소송법 등을 공부하듯이 한국이나 미국 로스쿨 진학을 고려 중이거나 재학 중인 학생들의 공부에 실질적 도움을 줄 수 있도록 했다. 이를 위해 각 영화마다 '필름 속으로 깊이(deep into the film)'를 두고 해당 영화와 관련된 역사적 배경이나 제도, 법률과 판례의 추이를 추적해 영화를 보다 역동적·심층적으로 읽을 수 있도록 했다. 예를 들면 미국 대다수 로스쿨(lawschool)의 민사소송 텍스트(text)에 준하는 <시빌액션>에서는 미국 민사소송 절차를 자세히 소개했다.

책의 차례는 인권의 발달 역사 순으로 했다. 첫 번째는 인종차별을 바꾼 영화 속 인권이야기로 1930년대 앨라바마주 법 현실 가운데 애디커스의 '앵무새지론'을 통해 '다름'에 대한 차별에 반대하며 인간의 보편적 양심에 호소하는 로버트 멀리건(Robert Mulligan) 감독의 <앵무새 죽이기>(To Kill a Mockingbird, 1962)와 1965년 마틴 루터 킹(Martin Luther King Jr., 1929-1968) 목사 등이 주도한 셀마-몽고메리 행진을 통해 흑인들도 백인들과 동등한 투표권을 행사할 수 있는 법안을 통과시키기까지의 여정을 그린 에바 두버네이(Ava DuVernay) 감독의 <셀마>(SELMA, 2014)를 다루었다.

두 번째는 성(gender) 차별을 바꾼 영화 속 인권 이야기로 영국에서 전개된 '1세대 여성주의 운동' 중 특히 1912년에서 1913년까지의 격렬한 여성 참정권 운동을 그린 사라 게이브런(Sarah Gavrin) 감독의 <서프러제트> (Suffragette, 2015)와 미국 사회에서 여성들이 적극적인 목소리를 내기 이전인 1970년대 <워싱턴 포스트>(Washington Post)의 신문 발행인 캐서린 그레이엄(Katharine Meyer Graham, 1917-2001)이 미국 정부가 숨기고 있던 '펜타곤 기밀문서(Pentagon Papers)'를 입수 후, 여기에 담긴 베트남 전쟁 이면의 진실을 용기있게 보도하기까지의 여정을 그린 스티븐 스필버그(Steven Allan Spielberg) 감독의 <더 포스트>(The Post, 2017), 그리고 1993년부터 2020년까지 여성으로서 미국에서 두 번째 연방대법관으로 재임하며 사회적 약자인 여성들의 기본권 보호에 앞장섰던 긴즈버그(Ruth Bader Ginsberg, 1933-2020)의 일대기를 그린 벳시 웨스트·줄리 코헨(Betsy West·Julie Cohen)감독의 <루스 베이더 긴즈버그: 나는 반대한다>(Ruth Bader Ginsburg, I dissent, 2018)를 다루었다.

세 번째는 자유와 권리의 보장을 위해 세상을 바꾼 영화 속 인권 이야기로 인신의 자유 문제를 말한 양우석 감독의 <변호인, 2013>, 식량, 건강 등의 복지나 노동, 주거인권 문제를 지적한 켄 로치(Ken Loach) 감독의 <나, 다니엘 블레이크>(I, Daniel Blake, 2016), <미안해요 리키>(Sorry We Missed You, 2019)이다. 전자는 2010년 영국 총선에서 승리한 보수당 케머런(David Cameron, 1953-) 총리 내각의 보수적 복지정책이 다니엘을 복지혜택에서 배제시킴으로써 빈곤을 형벌화(penalize)하는 부조리한 현실을 비판했다. 후자는 리키가 과도한 플랫폼(platform) 노동에 시달리며 이를 극복하고자 하는 노력들이 또 다른 새로운 소외를 가져오는 지점을 포착하며 신자유주의 자본주의 시스템의 폐해를 폭로했다.

그리고 삼성전자 반도체 공장에서 일하다 사망한 고(故) 황유미씨의 실화를 토대로 만든 극영화인 김태윤 감독의 <또 하나의 약속, 2013>, 2007년 이랜드 홈에버 사태를 그린 부지영 감독의 <카트, 2014>, 2009년 '용산참사' 사건을 그린 김성제 감독의 <소수의견, 2015>을 다루었다.

또한 환경인권 문제를 지적한 이야기로 메사츄세츠(Massachusetts) 주의 소도시 우번(Woburn)에서 1972년 발생한 환경오염 사건을 바탕으로 제작된 스티븐 제일리언(Steven Earnest Bernard Zaillian) 감독의 <시빌액션>(A Civil Action, 1998)과 1993년부터 1996년까지 미국 캘리포니아(California) 주 샌버나디노 카운티(San Bernadino County) 자치구 힝클리(Hinkley) 주민들이 대기업인 태평양 가스전기회사(PG&E)를 상대로 유해물질로 인한 지하수 오염집단소송 사건을 승소로 이끈 에린브로코비치의 실화를 기반으로 제작된 스티븐 소더버그(Steven Soderbergh) 감독의 <에린브로코비치>(Erin Brockovich, 2000)를 다루었다.

마지막으로 난민인권 문제를 비판한 숀 해니시(Sean Patrick Hanish)감독의 <세인트 주디>(Saint Judy, 2018), 켄 로치(Ken Loach) 감독의 <나의 올드 오크>(The Old Oak, 2023)를 통해 트럼프(Donald Trump) 행정부가 발한 행정 명령에 대한 미연방대법원의 판례 및 영국 보수당의 반이민정책 추진의 역사적 배경을 다루었다. 또한 영국과 미국의 배심재판제도를 그린 프레드 진네만 (Fred Zinnemann) 감독의 <사계절의 사나이>(A Man for All Seasons, 1966), 시드니 루멧(Sidney Lumet) 감독의 <12인의 성난 사람들>(12 Angry Men, 1957)과 2000년 발생한 '약촌 오거리' 사건을 바탕으로 한국의 재심재판제도를 그린 김태균 감독의 <재심, 2017>을 다루었다. 18가지 이야기 중 일부는 여러 매체에 기고했던 글을 보완해 실었다.

'법정의 눈'과 '필름의 눈'을 거친 영화를 '인권의 눈'으로 읽고 쓴 이 책의 원고를 탈고하며, 흑인인권 운동의 상징이 된 노래로 잘 알려진 비틀즈(Beatles)의 '블랙버드(blackbird)'를 들었다.

폴 매카트니(Paul McCartney, 1942-)는 "인종차별 문제를 겪고 있는 사람들에게 희망을 줄 수 있다면 좋겠다"는 생각에서 이 곡을 작곡했다고 한다. 더불어 살아가는 방법을 사려깊은 시선으로 응시한 18가지 영화 속 인권 이야기가 절망에 빠지기 쉬운 우리 동시대인들에게 조금이나마 희망을 전할 수 있기를 바라며, 이 책의 출간을 그 누구보다 기뻐해 준 나의 사랑하는 가족들과 우리 집 강아지 '빅토리(victory)'에게 고마운 마음을 전한다.

2024년 6월

임복희

차례

01

‘앵무새 지론’,
희망의 새가 되어 날다.

✹

로버트 멀리건 감독, <앵무새 죽이기>(1962)

01

‘앵무새 지론’, 희망의 새가 되어 날다.

로버트 멀리건 감독, <앵무새 죽이기> (1962)

“분리화되 평등하면 된다.”

1929년 10월 24일 미국 뉴욕 증시 시장은 이른바 ‘검은 목요일(Black Thursday)’로 불리는 증시 대폭락 사건으로 초유의 충격에 빠진다. 그리고 이어 경제의 버팀목이었던 금융 시스템이 붕괴되었고, 기업의 도산으로 대량실업과 인플레이션이 발생했다. 바로 ‘대공황(The Great Depression, 1929-1933)’이다.

로버트 멀리건 감독의 <앵무새 죽이기>는 하퍼 리(Nelle Harper Lee, 1926-2016)의 동명의 자전적 소설을 바탕으로 1930년대 대공황 시기 극심한 빈곤에 이른 미국 남부 지역 앨라바마(Alabama)주의 작은 마을인 메이컨(Macon)을 배경으로 미국 사회 전체에 팽배한 인종차별을 고발하는 영화이다.

1863년 1월 1일 링컨에 의해 ‘노예해방선언(Emancipation Proclamation)’이 발표되어 미국에서의 노예제는 공식적으로 폐지되었고, 1865년 12월 미연방수정헌법 제13조가 비준됨으로써 흑인들은 시민권을 보장받았지만, 남부에서의 인종차별 관행은 여전했다.

연방대법원은 1896년 플래시 대 퍼거슨(Plessy v. Ferguson) 사건[1]에서 "루이지애나(Lousiana)주가 열차에서 백인과 흑인이 탈 수 있는 칸을 구분하지만 양자를 동등하게 대우하도록 하는 법률은 평등권에 위반되지 않는다"고 판시하며, "분리하되 평등하면 된다(seperate but equal)"는 흑인 차별을 합법화하는 법리를 구축했다.

이는 일명 '짐크로우 법(Jim Crowe Law)'으로 이에 의하면 거의 모든 부분에서 인종이 구분되어 흑인과 백인은 거주하는 구역이 다르고, 학교, 식당, 대기실 및 공공장소에서도 전부 다른 공간에 있어야 하며, 인종 간 결혼도 불법이 되었다. 특히 남부에서는 '짐 크로우 법'이 엄격하게 시행되고 있었기 때문에, 흑인이 법을 위반하면 항상 가혹하게 처벌받았고, 배심원단이 전원 백인으로 구성된 법정에서는 거의 항상 백인이 승소했다.

"앵무새를 죽이는 것은 죄이다."

영화는 "1932년 그 해 여름 나는 6살이었다"라는 스카웃(메리 배드햄 분)의 회상으로 시작한다. 스카웃의 부(父) 애티커스 핀치(그레 고리 펙 분)는 아내와 사별한 후, 두 아이를 혼자서 키우는 메이컨의 변호사이다.

애티커스는 사려 깊고 온화한 아버지로 젬(필립 알포드분)과 스카웃의 잠자리를 세심하게 챙기고, 아이들의 그 어떠한 질문에도 "이 다음에 크면 알게 될거야"라며 답을 회피하지 않는다. 그리고 자신의 실제 삶을 통해 도덕적 용기의 가치를 아이들에게 보여준다. 다만 애디커스가 아이들에게 금한 것이 하나 있다. 바로 앵무새를 해쳐서는 안된다는 것이다. 그리고 그 이유를 앵무새들은 인간을 위해 노래를 불러줄 뿐 사람들의 채소밭에서 무언가를 따먹지도 않고, 옥수수 창고에 둥지를 틀지도 않고, 우리들을 위해 마음을 열어 놓고 노래를 부르는 것 이외에는 아무것도 하는 것이 없으므로 앵무새를 죽이는 것은 죄가 되기 때문이라고 한다.

그러던 어느 날 톰 로빈슨(브록 피터스 분)이라는 순진한 흑인 청년이 백인 처녀 마엘라(콜린 윌콕스 분)를 강간시도한 혐의로 기소당한다. 애디커스는 마을 사람들의 비난과 협박에도 불구하고 톰의 무죄를 확신하며 그의 변호를 맡는다. 그리고 아이들에게 "자신이 이 사건을 맡지 않으면 마을에서 고개를 들고 다니지 못할 것"이라고 말한다.

영화는 이후 법정에서의 형사재판 진행 과정을 보여주며 당시 사회 분위기를 묘사한다. 재판에서 마엘라는 허드렛일을 도와달라고 톰을 집 안에 불러들였는데, 톰이 폭력을 사용하여 강간을 시도했다고 증언한다. 또한 마엘라의 부(父)인 봅 이웰(제임스 앤더슨 분)은 그가 집에 들어서는 순간 이러한 현장을 목격했다고 증언한다.

그러나 톰의 증언은 전혀 다르다. 이전에도 마엘라가 수시로 자신에게 잡일을 부탁했고, 그 때마다 폭력적인 봅으로부터 학대당하는 그녀가 불쌍하게 느껴져서 도움을 주었다는 것이다. 문제가 된 사건 당일에는 마엘라가 먼저 자신의 손에 키스(Kiss)를 퍼부었고, 이 때 봅이 집에 들어왔다고 말한다. 절차가 진행되면서 애티커스의 반대심문을 통해 마엘라와 봅이 거짓말을 하고 있다는 사실이 드러난다. 톰은 목화솜에서 씨를 분리하는 기계인 조면기에 다쳐 왼손에 장애가 생겼다. 그런데 톰이 강간을 시도하면서 가한 폭행으로 마엘라가 자신의 뺨에 상처가 났다고 증언했는데, 이 상처는 봅과 같은 왼손잡이가 가할 수 밖에 없는 것이었다. 변론을 마친 애디커스는 "비열한 백인이 무지한 흑인을 파멸시키는 과정"이라며 배심원들을 향해 최후변론을 했지만, 백인들로만 구성된 배심원은 톰에게 유죄평결을 내린다. 이에 절망한 톰은 이송 중 도망가다가 보완관 헥 테이트(프랭크 오버튼 분)가 상처만 주려고 쏜 총에 맞아 사망한다.

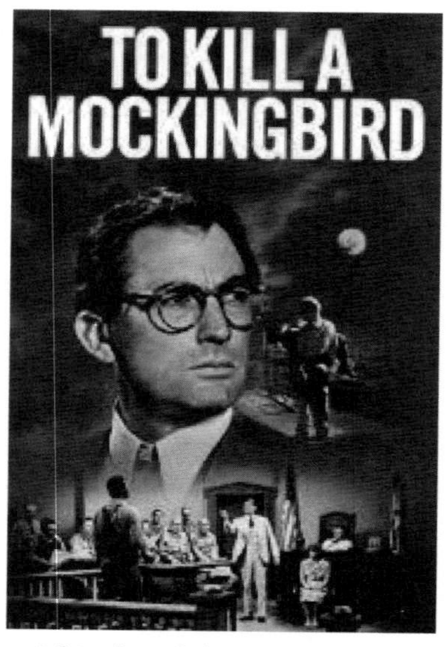

〈앵무새 죽이기〉는 미국 배심재판 제도의 정수를 보여주며, 인종차별이라는 무거운 주제를 순수한 동심을 지닌 스카웃의 시선으로 담아냈다.

애티커스가 톰의 사망소식을 그의 가족들에게 전할 때, 봅이 애티커스의 얼굴에 침을 내뱉으며 모욕을 준다. 그럼에도 불구하고 애티커스는 자신의 손수건을 꺼내 얼굴을 닦을 뿐이다.

이후 영화는 또 하나의 남은 앵무새인 부 래들리(로버트 듀발 분)의 이야기를 중심으로 전개된다. 스카웃의 이웃인 부는 세상과의 소통을 단절하고 집 안에 칩거하고 있는데, 메이컨 지역 사람들은 그를 광인(狂人)이라며 두려워하고 멀리한다.

그러던 어느 날 스카웃과 젬이 심야에 학예회에서 돌아오는데, 봅이 아이들을 공격한다. 그런데 이 때 부가 아이들을 구하고 봅을 죽이는 일이 발생한다. 자신이 잘못 쏜 총으로 톰이 사망했으므로 양심의 가책을 느끼고 있던 헥은 공식 사인을 봅이 자신의 칼에 스스로 죽은 것이라고 한다. 애티커스는 처음에는 재판에서 '정당방위'였음을 사실대로 밝혀야 한다는 입장이었으나 헥의 결론에 마지못해 수긍한다. 이에 스카웃이 애티커스에게 헥의 말을 자신은 이해할 수 있다며, 말하자면 "앵무새를 쏘아 죽이는 일과 같은 것이 아니겠냐"고 한다. 스카웃의 말에 애티커스는 부에게 다가가 "아이들을 구해주어 고맙다"고 한다.

영화는 스카웃이 부를 그의 집 앞까지 배웅하는 장면으로 끝난다. 그 장면 위로 스카웃의 독백이 다음처럼 흐른다.

"이웃들은 누가 죽으면 음식을 가져다 주고
누가 아프면 꽃을 주고
그 중간쯤 되면 여러 가지를 준다. 부도 이웃이었다.
아저씨는 우리에게 비누 인형 두 개 고장난 시계와 줄
칼...
그리고 목숨을 주었다.

언젠인가 애티커스가 그랬다.
상대의 입장에 서야 진정으로 이해할 수 있다고.
나는 아저씨의 현관에 서 있는 걸로 충분했다.
새로운 여름이 찾아왔고 가을도 왔다.
그리고 부 애들리가 밖으로 나왔다."

한국 사회에 절실히 필요한 '앵무새 지론'

<앵무새 죽이기>는 1930년대 앨라바마주 법의 현실을 그대로 재현하며 인종차별이라는 무거운 주제를 순수한 동심을 지닌 스카웃의 시선으로 전개한다. 그리고 집단적 편견이 지배하는 사회에서 애티커스가 그의 '앵무새 지론'을 실제 행함을 통해 보여줌으로써 인간의 보편적 양심에 호소하며, 인간 존엄성의 가치를 추구한다.

현재 한국 사회는 독재와 같은 '큰 권위주의'는 사라졌지만, 사회 곳곳에 자리잡은 '작은 권위주의'는 여전히 강고하다. 기업조직에서부터 일상에 이르기까지 다양한 형태의 불공정과 편법, 보이지 않는 폭력은 개인의 인권과 자유를 심각하게 침해하고 사회적 신뢰에 부정적 영향을 끼치고 있다.

애티커스의 '앵무새 지론'이 희망의 새가 되어 21세기 한국 사회에 날아와 더 이상 '다름'에 대한 차별과 편견이 설 자리가 없어지기를 바란다.

● deep into the film ●

미국 배심재판제도

영국에서 13세기 중엽부터 형성되기 시작한 배심재판제도(jury trial)는 판사와 일반적으로 12인의 일반시민으로 구성된 배심원(jury)에 의한 재판으로서, 배심원은 사실관계(question of fact)에 관한 판단을 하고, 판사는 법률관계(question of law)에 관한 판단을 함으로써 상호 협조하여 판결을 내리는 재판제도를 말한다.

한편 미국의 배심재판제도는 형사재판과 민사재판으로 구분되어 그 구성과 평결에 있어 차이를 보인다.

우선 형사배심재판제도에는 대배심제도(grand jury)와 소배심제도(petit jury)의 두 가지가 있다. 대배심제도는 제5차 개정헌법(Amendment V)에 "누구든지 대배심에 의한 고발(presentment)이나 기소(indictment)에 의하지 아니하고는 사형 또는 자유형에 해당하는 범죄에 관해 재판을 받지 아니한다"고 규정되어 있다. 그러나 주(州) 형사재판에서 이를 채택할지 여부는 주정부의 재량에 속한다.

연방대배심의 기능은 기소와 고발이다. 대배심은 검사가 제출한 증거가 기소에 충분한지 여부를 판단하는 배심이다. 대배심의 심리 결과 기소에 충분한 증거를 발견하지 못하면 대배심은 불기소장(ignoramus 또는 no bill)을 발부한다. 기소 결정을 내리면 기소장(true bill)을 발부하며, 검사가 대배심 절차를 거치지 않고 행하는 기소인 '약식기소(information)'와 구별된다.

대배심의 ‘고발(presentment)’은 대배심이 직권으로 일종의 범죄를 조사해 타인의 범죄행위나 비행을 고발하는 것을 말한다. 다만 연방형사재판절차에서 대배심의 고발권한을 법률에 명문으로 규정하지 않은 경우에는 인정하지 않는 것이 일반적이다.

연방대배심은 선거인 등록명부로부터 무작위로 추출해 판사와 검사의 조사를 거쳐 확정하며 최소 16인에서 최대 23인의 배심원으로 구성한다. 주 대배심의 경우에는 5인 내지 7인으로부터 최대 23인에 이르기까지 다양하다.

제6차 개정헌법(Amendment VI)은 “모든 형사소추에 있어 피고인은 범죄가 행해진 주 및 법에 의해 정해진 지역(district)의 공평한 배심(impartial jury)에 의해 신속한 공개재판(speedy and public trial)을 받을 권리를 가진다”고 규정한다.

연방대법원은 제6차 개정헌법이 제14차 개정헌법의 적법절차(due process of law)에도 적용된다고 판시했다.[2] 따라서 소배심에 의한 재판을 받을 권리는 연방정부에서 뿐만 아니라 모든 주정부에서도 명시적으로 보장되어 있는 권리이다.

연방법원에서는 당사자와 법원의 동의에 의해 소배심에 의한 배심재판을 포기할 수 있다. 그러나 다수의 주에서는 특히 형사사건에 있어서는 이러한 포기를 인정하지 않는다.

제7차 개정헌법(Amendment VII)은 연방법원에 제기된 민사보통사건(suits at common law)에 대해 “보통법상의 소송에 있어 소송가액이 20달러를 초과 시에는 배심에 의한 재판을 받을 권리를 인정해야 한다”고 규정한다.

그러나 이는 주에도 적용된다고 한 바 없으므로, 주정부는 민사사건에 있어 배심재판제도의 인정 여부 및 그 절차를 재량으로 정한다. 다만, 당사자가 배심재판을 받을 권리를 포기할 수 있는 자유를 인정한다.

한편 민사배심재판제도는 특별배심재판제도와 일반배심재판제도의 두 가지가 있다. 특별배심재판제도는 배심원의 자격을 일반 국민에게 공평하게 부여하는 것이 아니라 특정 자격을 갖춘 자만을 배심원으로 선정하는 제도를 말한다. 다만 연방법원에서는 특별배심재판제도의 채택이 1968년의 '배심원 선정 및 직무에 관한 법률(Jury Selection and Service Act)'에 의해 금지되어 있다. 주 법원에서는 아직도 이를 채택한 주가 있지만 그 자체로 위헌은 아니다.

1968년 제정된 이 법률에 의해 연방법원의 대·소배심원은 선거구의 선거인등록명부나 실제 투표자 명부에서 법원의 배심서기(jury clerk)가 추첨으로 선정한다.

연방배심원의 자격 요건은 (i) 미국 시민일 것, (ii) 적어도 18세에 이르렀을 것, (iii) 그 지역에 1년 이상 거주하였을 것, (iv) 1년 이상의 구금형에 해당하는 유죄판결을 받은 바 없을 것, (v) 영어독해력이 있을 것, (vi) 효과적인 배심직무를 어렵게 만드는 정신적 또는 신체적 장애가 없을 것이다. 그리고 주 배심원의 자격 요건도 거의 동일하다.

배심원으로 선정된 경우에도 법원규칙이나 법령 또는 관습에 따라 그 직무가 면제될 수 있다.

배심원단의 평결(verdict)에 있어 연방대배심의 경우 대배심의 기소 여부의 결정은 만장일치일 필요는 없으며, 16인을 정족수로 하고, 12인이 찬성하면 기소할 수 있다. 주의 경우에는 각 주에 따라 4인으로부터 16인까지의 찬성이 있으면 기소가 가능하다.

그리고 연방배심은 민사사건이나 형사소배심 사건에서 모두 만장일치 평결을 요한다. 다만 배심원 수는 민사사건의 경우 전통적인 보통법상 12인을 헌법적으로 요구하지 않는다. 그러나 주법원에서는 민·형사 사건에 있어 각 주마다 다른 평결정족수를 정한다.

02

‘셀마-몽고메리 행진’, ‘아랍의 봄’에 영감을 주다.

✹

에바 두버네이 감독, <셀마>(2014)

02

'셀마-몽고메리 행진', '아랍의 봄'에 영감을 주다.

에바 두버네이 감독, 〈셀마〉(2014)

민권운동의 점화

1619년 아프리카 흑인 20명이 네덜란드 배에 몸을 싣고 미국 남부 버지니아(Virginia) 주 제임스타운(Jamestown)에 도착한 후, 정착민에게 주인을 위해 열심히 일하는 계약하인으로 팔렸다. 당시 버지니아는 영국 식민지로 영국법을 따랐고, 계약하인들의 계약기간은 일반적으로 4-7년이었다. 이후 1640년 흑인계약 하에 있던 존 펀치(Jone Punch)가 계약 기간 중 탈출하는 사건이 발생했다. 존 펀치는 이로 인해 "주인 또는 양수인에게 평생 봉사하라"는 종신 노예 판결을 받았는데, 이것이 미국 노예제도 발생에 중요한 역할을 했다.

계약하인 제도는 점점 노예제도로 변해갔고, 1705년 버지니아 주에서는 '노예의 신분 및 관리를 목표로 하는 노예법'이 제정되었고, 1723년에는 노동과 예배 목적 이외의 집회를 금지하고, 도망을 중죄로, 폭동에 대한 모의를 사형으로 처벌하는 규정을 신설했다.

한편 아프리카에서 잡힌 흑인들은 화물선을 개조한 노예선을 타고 미국으로 간 후 노예경매시장에 진열되어 상품으로 팔렸다. 1755년 당시 영국의 식민지였던 미국의 13개주는 영국이 지나친 세금을 부과한 것이 발단이 되어 미국독립전쟁(1775-1783)이 일어났다. 전쟁이 길어지면서 영국은 남부 농장주들에게 흑인 노예들을 사들여서 병력을 공급했다. 미국은 당시 흑인 노예들의 무기 및 군복무 금지를 정한 법률이 있었음에도 불구하고 이들을 참전시켰다. 전쟁이 미국의 승리로 끝난 후, 참전한 흑인노예들은 그 어떠한 신분상 변화도 없이 다시 노예로 되돌아왔다.

1793년 일라이 휘트니(Elias Whitney, 1765-1825)가 목화솜에서 씨앗을 분리하는 기계인 조면기를 개발하면서 미국 남부 농장주들은 더 많은 수확을 위해 흑인 노예들에게 가혹한 채찍질을 하는 인권유린을 서슴치 않고 행했다. 이에 견디지 못한 흑인노예들이 노예제도를 반대하던 북부로 탈출을 감행했고, 도망노예 문제에 대한 농장주들의 항의에 직면한 미국 연방정부는 1850년 도망노예를 소유주에게 돌려주기 위한 '도망노예법'을 제정했다. 이 법은 노예를 개인이 잡는 것을 허용하고, 노예가 도망치게 조력한 자에게는 벌금을, 도망간 노예를 잡아 주인에게 인도시에는 포상금을 주도록 했다.

링컨(Abraham Lincoln, 1809-1865)이 미국 대통령에 당선된 1861년, 남부에서는 링컨이 노예제도를 폐지할 것을 우려해 남부 독립을 선언한다.

링컨이 이를 인정하지 않자 남부는 연합군을 조직해 남북전쟁을 일으켰다. 링컨은 남북전쟁(1861-1865) 중인 1863년 '노예해방선언(Emancipation Proclamation)'을 발표한다. 이로써 미국에서의 노예제는 공식적으로 폐지되었다. 이후 1865년 12월 미 연방수정헌법 제13조가 비준됨으로써 흑인들은 시민권을 보장받았지만, 남부에서의 인종차별 관행은 여전했다.

전·후 재건된 남부에서 출현한 주정부가 법적으로 허용한 인종차별과 탄압제도는 이른바 '짐 크로우 법(Jim Crow law)'법으로 알려졌고, 연방대법원은 1896년 플래시 대 퍼거슨(Plessy v. Ferguson) 사건[3]에서 "루이지애나(Lousiana)주가 열차에서 백인과 흑인이 탈 수 있는 칸을 구분하지만, 양자를 동등하게 대우하도록 하는 법률은 평등권에 위반되지 않는다"고 판시하며, "분리하되 평등하면 된다(seperate but equal)"는 법리로 인종 차별을 합법화했다.

이러한 흑백분리정책은 1954년 브라운 대 교육위원회(Brown v. Board of Education) 사건[4]에서 연방대법원이 "단지 인종을 이유로 공립학교에서 아동을 분리하는 것은 설사 물리적 시설, 기타 유형적 제반요소가 평등하다고 하더라도 무형적 요소도 매우 중요하므로, 소수집단의 아동에 대해 평등한 교육의 기회를 박탈하는 것이고, 이는 소수집단의 아동에게 그들이 사회에서 열등한 지위에 있다는 느낌을 가지게 한다. 그러므로 분리된 교육시설 자체가 불평등한 것이다"라고 판시하며, '분리화되 평등' 원칙을 폐기하기까지 그대로 존속되었다.

그러나 이러한 브라운의 승리에도 불구하고, 남부에서는 여전히 인종차별을 하며 유권자를 규제했다. 이에 아프리카계 미국 흑인 운동가들은 파업과 시위 같은 직접행동이나 비폭력, 무저항 및 시민불복종 등의 여러 사건을 일으키는 연합전략으로 저항했다. 그리고 마침내 '시민평등권 운동(1954-1968)'으로 점화되었다.

"언제 우리는 자유가 될까요?"

에바 두버네이 감독의 <셀마>는 1965년 마틴 루터 킹(Martin Luther King Jr., 1929-1968)목사 등이 주도한 셀마-몽고메리 투표권 행진의 역사적 사실에 기초해 제작된 영화이다.

〈셀마>는 세상을 절망에서 희망으로 이끌어 준 진보의 발걸음인 '셀마-몽고메리 행진' 실화를 담아냈다.

영화는 1964년 12월 10일, 남부기독교연합회의(The Sourthern Christian Leadership Conference, 이하 'SCLC')를 이끌었던 마틴 루터 킹 (데이빗 오예로워 분)이 어느 한 호텔 방에서 신중한 표정으로 서 있는 장면으로 시작한다. 그는 노벨평화상 수상 연설을 연습하는 중이다. 그리고 곧이어 킹이 노벨평화상을 수상하는 장면이 나오고, 앨라바마 (Alabama) 주 버밍엄(Birmungham)에 있는 16번가 침례교회의 계단을 내려가던 4명의 소녀들이 미국의 폭력적 비밀결사단체인(Ku Klux Klan, 이하 'KKK')단에 의한 폭탄물에 의해 사망한다. 그리고 앨라바마 주 셀마에 주거하는 애니 리 쿠퍼(오프라 윈프리 분)가 투표권을 행사하기 위해 유권자 등록신청을 하는데, 이를 접수하는 백인 등록관이 헌법 전문을 외우게 하거나 앨라바마 주 판사 67명의 이름을 모두 말하라는 등의 방법으로 고의적으로 신청을 기각한다.

킹은 존슨 대통령(Lyndon Baines Johnson, 1908-1973, 톰 윌킨슨 분)을 만나 남부의 흑인 시민들이 아무런 방해 없이 유권자 등록을 할 수 있도록 연방차원의 입법제정을 요구한다.

이후 킹은 셀마로 가서 다른 SCLC의 지도자들 및 셀마의 흑인 주민들과 함께 유권자등록을 위해 등록사무소를 향해 행진한다. 셀마법원 앞에서 경찰과 대치 중 경찰이 군중 속으로 진입하면서 혼란이 발생하고, 보완관 짐 클라크(스탠 휴스턴 분)가 쿠퍼에 의해 맞고 쓰러지면서, 쿠퍼, 킹 목사와 여러 다른 흑인시위자들이 체포된다.

앨라바마 주지사인 조지 월리스(팀 로스 분)는 흑인들의 시위에 강경하게 대응할 것을 천명하고, 인근 마리온(Marion)에서의 야간행진에 참가하는 시위자들을 제압하고자 주립경찰부대를 동원해 무력사용을 결정한다. 평화적으로 행진하던 시위자들을 살벌하게 진압하던 중 지미 리 잭슨(러키스 스탠필드 분)이 사살된다.

킹은 지미의 장례식장에 모인 사람들에게 흑인들의 권리를 찾기 위해 모든 투쟁을 계속할 것을 요청하고, 존슨 대통령을 만나 투표권 보장을 위한 연방법의 제정을 촉구하며 50마일에 이르는 셀마-몽고메리 항의행진을 예고한다.

1965년 3월 7일 이른바 '피의 일요일(Bloody Sunday)'에 SCLC의 호세 윌리엄스(웬들 피어스 분), 학생비폭력조정위원회(Student Nonviolent Coordinating Committee, 이하 'SNCC')의 존 루이스(스테판 제임스 분), 셀마의 운동가 아멜리아 보인턴(로레인 투세인트 분)을 비롯한 525명의 행진자들이 브라운 교회(Brown Chapel)를 출발해 에드먼드 페투스 다리(Edmund Pettus Bridge)와 앨라바마 강(Alabama River)을 건너기 위해 6블럭(block)을 행진한다.

행진대열이 에드먼드 페투스 다리 끝에서 주립경찰부대와 대치하고, 진압경찰이 2분의 여유를 줄테니 되돌아갈 것을 명하지만, 이에 응하지 않자 곤봉, 말과 채찍, 최루가스 등을 동원해 무차별 공격을 가한다. 이러한 진압경찰의 가혹한 진압이 미국 전역에 콜럼비아 방송사(Columbia Broadcasting System)뉴스로 보도되었고, 텔레비전(television) 속 셀마의 비극적 상황을 지켜본 사람들이 전국에서 모여들었다.

3월 9일 화요일, 2500명 이상 사람들이 다시 에드먼드 페터스 다리 입구에 섰다. 셀마 시장은 "불법행진을 멈추고, 돌아가라"고 했고, 킹 목사는 그 자리에서 무릎을 꿇고 기도를 시작했다. 그리고 모든 시위대 사람들도 마찬가지로 기도했다. 기도를 마친 킹 목사는 자리에서 일어나 왔던 길을 되돌아가기 시작했고, 이내 영문을 모르는 사람들의 술렁거림이 있었지만 모두 몽고메리가 아닌 집으로 돌아갔다.

그런데 전국에서 모인 몇몇 시민들이 저녁식사를 마친 후 식장을 나서면서 KKK단에 의해 무차별 공격을 당했다. 그리고 보스턴에서 온 제임스 리브(제레미 스트롱 분) 목사는 머리를 심하게 다친 후 사망했다. 이 소식을 들은 미국 전역에서 셀마 시민들에 동조하는 행진을 시작했다.

마침내 연방법원 판사인 프랭크 존슨(마틴 신 분)은 셀마에서 몽고메리에 이르는 5일 간의 행진을 허가한다. 그리고 존슨 대통령은 1965년 3월 15일, 양원합동회의에서 "투표권은 누구나 행사할 수 있어야 한다. 지금 셀마에서 일어나는 정의로운 움직임은 새로운 미국을 향한 첫 걸음이 될 것이다. 그들의 주장이 곧 우리의 주장이다. 우리는 편견과 불의에 맞서 싸워 이겨낼 것이다"라며 투표권에 대한 차별을 제거하는 법안의 조속한 통과를 약속한다.

1965년 3월 21일, 전국 각지에서 몰려든 백인과 흑인, 종파와 교단을 넘어선 종교지도자들, 그리고 셀마의 주민들 25,000명이 하나가 되어 80번 도로를 따라 행진하며 몽고메리에 도착했고, 킹 목사는 앨라바마 주 의사당 앞에서 "언제 우리는 자유가 될까요?"라며 미국의 평등한 인권을 위한 연설을 한다.

1965년 8월 6일, 존슨 대통령은 킹 목사 등이 지켜 보는 가운데, 백악관 집무실에서 '투표권 법안'에 서명했고, 비로서 흑인들은 백인들과 동등한 투표권을 행사할 수 있게 되면서 영화는 끝난다.

세계 도처의 '셀마대행진'에 영감을 준 '셀마-몽고메리 행진'

1965년 3월 21일부터 25일까지 행진자들이 걸었던 길은 이후 '셀마-몽고메리 투표권 트레일(Selma to Montgomery Voting Rights Trail)'로 기념되고 있으며, 셀마-몽고메리 국립 역사길(Selma to Montgomery National Historic Trail)'로 지정되었다.

리베카 솔닛(Rebecca Solnit, 1961-)은 『어둠 속의 희망』(*Hope in the Dark*)에서 "함께라면 우리의 힘은 매우 강력하며, 우리에게는 잘 전해지지 않고 잘 기억되지 않은 승리와 변혁의 역사가 있다. '그래, 이전에도 여러번 그랬으니 우리가 세상을 바꿀 수 있겠구나'라는 자신감을 줄 수 있는 역사를 지녔다. 우리는 앞을 향해 노를 저어 나간다. 그리고 이 역사를 전하는 건 사람들의 미래를 향한 항해를 돕는 일의 일환이다. (중략) 과거는 햇살 속에 놓여 있으며, 과거는 미래라는 밤 속으로 들고 갈 횃불이 될 수 있다"고 했다.

'아랍의 봄(Arab Spring)'이 일어나기 직전 마틴 루터 킹과 시민불복종에 관한 만화책이 아랍어로 번역되어 널리 배포되었고, 이 책이 '아랍의 봄'의 발생 과정에 영감을 주었다.[5] 이처럼 '셀마-몽고메리 행진'은 세상을 절망에서 희망으로 이끌어주는 진보의 발걸음이자 행동하고 연대하는 시민들의 용기로 민주주의를 확장시킨 역사의 한 페이지로 여전히 세계 도처에서 또 다른 '셀마 대행진'을 확장시키고 있다.

● deep into the film ●

브라운 대 교육위원회 (Brown v. Board of Education) 사건

1951년 캔자스(Kansas) 주의 주도인 토페카(Topeka)에 사는 흑인 올리버 브라운(Oliver Brown)은 8세의 린다(Linda)가 먼로 초등학교에 가기 위해 위험한 철길을 건너 1.6km를 가야 하므로 자녀의 안전을 우려했다. 그리고 "집에서 바로 옆에 있는 섬머(Summer) 초등학교는 백인학교이므로 보내지 못했다"고 교육위원회에 시정을 요구했다. 당시 미국은 1896년 플래시 대 퍼거슨(Plessy v. Ferguson) 사건에서 확립된 '분리하되 평등' 원칙을 고수하고 있었다.

올리버 브라운은 전미유색인연합(National Association for the Advancement of Colored People, 이하 'NAACP')의 도움을 받아 연방대법원에 토페카 교육위원회를 상대로 소송을 제기했다.

이 사건에서 1954년 연방대법원은 "공립학교의 인종차별은 위헌이며, 모든 공립학교는 흑백 분리 교육을 시정 및 통합하라"는 만장일치 판결을 내림으로써 플레시(Plessy) 판결에서 확립된 '분리화되 평등' 원칙이 번복되었다.

그러나 브라운 사건에서 연방대법원은 "인종을 이유로 한 공적인 분리교육은 위헌"이라고 판시했지만, 그 시정방안에 대해서는 아무 언급을 하지 않았다. 이 문제는 1955년 동일한 당사자간 사건인 브라운 대 교육위원회(Brown v. Board of Education, 'Brown II 사건')[6]에서 "연방지방법원은 지역 여건을 잘 알 수 있고, 사실관계에 관한 심리도 할 수 있으므로 연방지방법원이 1차적으로 시정방안에 관해 책임을 진다. 그 시정방안은 일반적인 형평 원칙에 부합해야 한다. 시정은 즉각적으로 이루어져야 하지만, 지역 사정에 따라 지연될 수 있는데, 이러한 지연 필요성에 대해서는 지역교육위원회에서 입중해야 한다"고 판시했다.

이후 각 주는 이러한 연방대법원 판결에 저촉되지 않도록 여러 가지 시도를 했으나, 많은 경우 위헌 판결이 선고되었다. 흑백통합에 관해 가장 중요한 지침을 내린 것은 1971년 스완 대 샤롯데-멕클렌브루크 교육위원회(Swann v. Charlotte-Mecklenburg Board of Education) 사건이다.[7] 이 사건에서 연방대법원은 "(i) 연방법원은 의도적인 또는 법률에 근거를 두고 공식적으로 유지되는 분리가 밝혀지지 않는 한, 교육위원회에 대해 그 소속학교의 인종 구성을 주장하도록 명하지 않는다. (ii) 공식적 분리가 밝혀지면, 법원은 적절한 해결책을 강구함에 있어 학군(school district) 내 모든 흑백학생의 비율을 고려하게 된다. (iii) 이는 학군 내 하나 또는 그 이상의 학교 학생이 전부 또는 대부분 어느 한 인종으로 구성되어 있다고 하더라도 그러한 사정만으로는 통합이 아직 이루어지지 않고 있다고 볼 수 없다. 왜냐하면 지역적 거주민의 분포에 의해서도 그렇게 될 수 있기 때문이다. (iv) 학생의 통학은 흑백통합을 위한 방편이 될 수 없다. 다만 그러한 통학이 아동의 건강을 해하거나 교육과정을 심각하게 손상시키는 경우에는 허용되지 않는다. (v) 공식적 분리가 제거된 후에는 매년 조정을 위해 통합계획을 준비할 필요가 없다"고 판시했다.

03

‘모드들’,
역사의 어둠 속에서도 희망의 끈을 놓지 않다

●

사라 게이브런 감독, <서프러제트>(2015)

03

‘모드들’, 역사의 어둠 속에서도 희망의 끈을 놓지 않다.

사라 게이브런 감독, 〈서프러제트〉(2015)

부(夫)에게 종속된 여성

‘해가 지지 않는 나라’로 불렸던 영국의 ‘빅토리아 시대(Victorian era)’는 빅토리아 여왕의 63년 간의 재위기간(1837-1901)으로 영국이 아시아와 아프리카로 제국주의 팽창에 나서며 대영제국을 형성한 시기이다. 그리고 이 시기는 영국 사회가 급변하는 격동의 시기이기도 했다. 특히 18세기 시작된 산업혁명은 제임스 와트(James Watt, 1736-1819)의 신 증기기관과 조지 스티브슨(George Stephenson, 1781-1848)의 증기 기관차의 발명에 힘입어 1830년 전·후부터 영국은 세계 주요 공업 생산의 절반을 담당했고, 빅토리아 여왕이 재임하던 19세기 중반에는 산업화가 절정에 이르렀다. 그 결과 생산성이 향상되었고, 가내공업은 몰락함으로써 농업사회였던 영국의 사회구조가 급격히 변하면서 일자리를 찾아 농촌에서 도시로 상경하면서 도시 인구의 폭발적 증가가 일어났다. 그 결과 석탄으로 인한 공기오염과 주거문제, 노동자의 인권 유린 문제, 아동 노동 등의 여러 문제가 발생했다.

그리고 산업혁명은 이처럼 경제구조의 혁명적 변화 뿐만 아니라 정치구조도 크게 바꾸어 놓았다. 왕족과 귀족 지배체제가 무너지고, 신흥 부르주아 계급이 선거법 개정을 이루었다. 1832년의 '제1차 선거법 개정(The first Reform Act)'은 합법적 수단에 의한 승리를 쟁취하려는 상인, 은행가 등의 중산층 계급의 운동으로 이들은 자신들이 투표권을 가질 수 있는 선거법 개정에 찬성했다. 선거법을 개정하려는 하원과 이에 반대하는 상원의 대립이 계속되다 2년 후인 1832년 6월 4일 선거법 개정 법률안은 106대 27표로 가결되었고, 1차 선거법 개정이 이루어졌다.

<서프러제트>는 지금 우리가 당연하다고 여기며 누리는 여성 투표권을 위해 투쟁한 영국 참정권 운동의 실제 여정을 담아냈다.

그 결과 소규모 토지 소유자, 소작농 및 상점 주인과 연간 일정 금액 이상을 납부하는 가구주와 숙박업자들에게 투표권이 부여되었다. 또한 남성만을 투표자로 규정해 그 이전에는 드물지만 여성의 투표도 있었지만, 이 법으로 선거에서 여성을 공식적으로 배제했다. 한편 18세기 계몽주의는 이전 봉건 질서에 대항하는 시민 계급의 성장을 통해 사회 계급의 지형 개편을 이끌어냈고, 합리적 이성에 바탕을 둔 민주

주의 의식은 19세기 영국에서 태동한 여성주의 운동을 싹틔우는 맹아가 되었다.

1870년까지 '커버처(coverture)'라는 원칙 하에 영국에서 기혼 여성은 부(夫)에게 속박된 존재로 간주되었고, 이들은 결혼과 동시에 모든 법적 권리가 부(夫)에게 양도되었다. 또한 자신의 이름으로 재산을 소유하거나 그 어떠한 계약도 체결할 수 없었다. 1870년 '기혼 여성의 재산법(Married Women's Property Act)'이 통과된 후, 기혼 여성들은 비로서 약간의 재산을 소유하거나 처분할 수 있었지만, 동법은 1870년 이후 결혼한 여성에게만 적용되었다.

"말이 아닌 행동으로"

사라 게이브런 감독의 <서프러제트>는 이러한 시대적 상황하의 영국에서 전개된 '1세대 여성주의 운동(the First Wave Feminism)', 특히 '여성에게 투표권을(Voices for Women)'이라는 슬로건(slogan)을 내건 참정권 운동이 격렬하게 전개되었던 1912년에서 1913년까지를 배경으로 제작된 영화이다. '서프러제트'는 참정권을 뜻하는 '서프리지(suffrage)'에 여성을 뜻하는 접미사 '에트(-ette)'를 붙인 말로, 20세기 초 영국의 일간지 <데일리 메일>(Daily Mail)에서 처음 사용되었다. 이는 에멀린 팽크허스트(Emmeline Pankhurst, 1858-1928)가 1903년에 결성한 여성사회정치연합(Women's Social and Political Union, 이하 'WSPU')을 경멸하는 단어였지만, 점점 여성 참정권 운동을 통칭하게 되었다.

영화는 여성 노동자들이 세탁 공장에서 분주하게 일하는 가운데 "여성은 정치적 문제에 판단할 만큼 침착한 기질과 균형 있는 시각을 가지고 있지 못하다. 여성에게 투표를 허용하는 것은 사회구조의 상실을 의미한다. 여성은 그들의 부(父)나, 남자 형제, 부(夫)에 의해서 잘 대변되고 있다"는 남성정치인들의 목소리가 보이스 오버(voice-over)로 덧입혀지면서 시작한다.

영화 속 가상의 인물인 주인공 모드 워츠(케리 멀리건 분)는 결혼 이후 하나뿐인 아들 조지(애덤 마이클 도드 분)를 위해 이 세탁 공장에서 힘들게 일하며 하루하루를 묵묵히 살아간다. 그러던 어느 날, 세탁물을 배달하러 가던 중 우연히 참정권을 주장하며 거리에서 투쟁하는 서프러제트의 시위 현장을 목격한다. 그리고 세탁 공장에서 함께 일하는 바이올렛 밀러(앤마리 더프 분)가 서프러제트라는 사실을 알게 되고, 가정 폭력으로 얼굴에 멍이 든 바이올렛을 대신해 얼떨결에 의회에서 공장을 대표해 투표법 개정을 위해 발언한다. 그러나 투표법은 개정되지 않았고, 발표 현장에 있던 모드는 체포된다.

이후 영화는 그동안 바꿀 수 있는 것은 하나도 없다고 여겼던 모드가 단지 '여성'이라는 이유 하나만으로 부당한 차별을 받아왔다는 사실에 분노하고 이러한 부당함에 맞서는 여정을 중심으로 실제 역사적 현실을 재현하며 전개된다.

1912년 3월 1일, 런던의 번화가로 불리던 거의 모든 지역에서 굉음과 함께 소란이 일어났다. 우아하게 차려입은 여성들이 작은 망치 또는 돌로 런던 상점의 창문을 깨기 시작했다. 시위는 사흘 후인 3월 4일에도 계속되었다. 런던(London) 경찰서는 유리창을 파손시킨 혐의로 잡혀 온 여성들로 발 디딜 틈이 없었고, 시위로 인해 깨진 유리창 가격은 5,000파운드를 초과했다.

한편 여성참정권 운동은 처음부터 과격했던 것은 아니었다. 에멀린 팽크허스트(메릴 스트립 분)는 거리에서 연설하거나 의원들에게 관련 법안의 통과를 호소하는 등 평화적 시위를 전개해 나갔다. 그러나 이러한 요구가 계속해서 묵살되자 1912년 런던의 로열 앨버트 홀(Royal Albert Hall)의 대규모 연설에서 "내가 돌을 사용하려는 것은 감정적인 이유 때문이 아니고, 돌멩이야말로 가장 쉽고 직접적으로 이해시킬 수 있는 방법이기 때문이다. (중략) 우리는 몸을 다치면서 싸울 때보다 유리창을 깨면서 싸울 때 더 많은 진보를 이루어냈다"고 하며 "말이 아닌 행동으로"라는 구호를 외치며 물리적 투쟁을 시작했다.

또한 애밀리 팽크허스트는 "우리는 세상에 태어난 모든 소녀들이 남자 형제들과 같은 시대를 가질 수 있는 시대를 위해서 투쟁한다. 우리 자신의 운명을 규정지을 수 있는 여성의 힘을 저평가하지 말라. 우리는 법을 어기는 사람이 아니라 법을 만드는 사람이 되기를 원한다. 노예가 되느니 폭도가 되겠다"고 선언한다. 이러한 팽크허스트의 연설을 듣는 모드의 얼굴에 영화 시작 후 처음으로 조명이 환하게 비쳐진다.

그러나 이 기쁨도 잠시 모드는 다시 체포되고 남편인 소니 왓츠(벤 위쇼 분)에게서 쫓겨나며 5세인 아들 조지의 양육권도 박탈된다. 소니는 법적으로 아들이 자기에게 속했다고 하며 조지를 입양보낸다.

이후 WSPU의 행동대원이 된 모드는 서프러제트들이 영국 수상의 여름 별장을 폭파하는 일에 참여하고, 또 다시 체포된다. 그리고 감금 상태에서 단식 투쟁을 감행하다 결국 강제급식을 당한다.

당시 영국 경찰이 감금 상태에서 단식투쟁을 하는 서프러제트들에게 시행한 강제급식은 신체를 침대나 의자에 묶고 금속 입벌리개를 입에 넣어 강제로 입을 벌리게 한 후, 목구멍이나 콧구멍에 고무관을 밀어 넣어 죽처럼 묽은 음식을 깔대기에 부어 고무관을 통해 위로 흘려보내는 방식이었다. 이처럼 강제급식을 당하면 코와 목, 가슴에 심한 통증과 함께 때로는 역류한 음식이 폐로 들어가 심각한 병을 일으키기도 했다. 또한 이러한 강제급식에 대한 여론이 악화되자 영국 정부는 서프러제트들이 단식 투쟁과 강제급식으로 건강이 나빠지면 일정 기간 석방했다가 건강이 나아지면 곧바로 다시 체포하는 '단식 죄수 가출옥법(Prisoners' Temporary Discharge for ill Health Act)'을 제정했다.

사무실로 돌아 온 모드는 에밀리 데이비슨(나탈리 프레스 분)과 함께 조지 5세(George V, 1865-1936)가 참석하는 경마장에 가서 시위를 하기로 한다.

1913년 6월 4일, 에밀리는 사무실에 들러 서프러제트 깃발 2개를 챙겨 기차를 타고 경마장이 있는 곳으로 향한다. 엡솜더비(Epsom Derby) 경마대회가 진행되던 중 조지 5세의 말이 마지막 커브를 돌려는 지점에서 데이비슨은 말에게 다가가고 결국 말에 치여 의식을 잃고 쓰러져 이로 인해 사망한다.

영화는 에밀리의 장례식이 거행되기 전 깊은 상념에 잠긴 모드의 모습을 보여주며, 이디스(헬레나 본햄 카터 분)가 에밀리에게 준 책, 올리브 슈레이너(Olive Schreiner)의 『사막에서의 세 가지 꿈』(*Three Dreams in a desert*)의 일부 내용을 보이스 오버로 들려준다.

“여성 방랑자는 자유의 땅을 찾아간다.
‘어떻게 거기에 갈 수 있나요?’
이성이 대답한다.
‘방법은 하나 밖에 없지,
오직 한 길밖에.’
여자는 공식적으로 집착해 왔던 모든 것을 버리고 외친다.
아무것도 가본적이 없는 저 먼 세상에 가기 위해서는
무엇을 해야 하는가?
나는 혼자다. 나는 완전히 혼자다.”

보이스 오버가 끝나면서 이디스가 에밀리의 장례식 기사가 게재된 신문을 가져온다. 모드는 이디스에게 “우리는 계속해야죠. 당신이 내게 그렇게 가르쳐주었어요”라며 말한다.

이어서 장례식을 준비하는 모드의 모습 위로 『사막에서의 세 가지 꿈』의 내용 중 일부가 보이스 오버로 덧입혀지고, 장례식 퍼레이드(parade) 장면이 나온다.

“수천 개, 수만 개, 수십 만개의 발소리가 들려요.
이리로 오고 있어요.
그것은 너를 따라가는 자들의 발소리다. 앞장서라!”

그리고 영화는 모드와 에밀리를 뒤따르는 여성들의 행진을 흑백 다큐멘터리로 보여주며 “1918년 30세 이상의 특정 여성들에게 투표권이 주어졌으며, 1925년 자녀에 대한 어머니의 권리가 법적으로 인정되었다.

1928년에는 여성도 남성과 똑같은 투표권을 가지게 되었으며, 세계 각국에서 여성의 투표권이 인정받기 시작했다"는 자막으로 끝난다.

인류의 반인 여성에게 가해진 부당함에 맞선 '모드들'

리베카 솔닛(Rebecca Solnit)은 『어둠 속의 희망』(*Hope in the Dark*)에서 "인과론은 역사가 전진한다고 가정하지만, 역사는 군대가 아니다. 그건 서둘러 옆걸음치는 게이고, 돌을 마모시키는 부드러운 물방울이며, 수세기에 걸친 긴장관계를 깨뜨리는 지진이다. 때로는 한 사람이 어떤 운동의 영감이 되거나 한 사람의 말이 몇십년 뒤 그렇게 되기도 한다. 그리고 때로는 열정적인 몇 사람이 세상을 바꾸며 거대한 운동을 촉발해 몇 백만이 참여하게 된다. 또한 때로는 그 몇 백만을 똑같은 분노나 이상이 뒤흔들면 변화는 마치 날씨가 바뀌듯이 우리를 덮친다. 이러한 모든 변화의 공통점은 상상에서, 희망에서 시작된다는 점이다"라고 했다.[8]

<서프러제트>는 지금 우리가 당연하다고 여기며 누리는 것들이 역사의 어둠 속에서도 희망의 끈을 놓지 않는 '모드들'의 희생으로 이루어졌음을 알려준다. 그리고 "1920년에는 미국(The United States of America), 1932년에는 브라질(Brazil), 1934년에는 터키 (Turkey), 1944년에는 프랑스(France), 1945년에는 이탈리아(Italy), 1949년에는 중국(China), 인도(India), 1953년에는 멕시코(Mexico), 1971년에는 스위스(Swiss), 1974년에는 요르단(Jordan), 1976년 에는 나이지리아(Nigeria), 2003년에는

성의 투표권이 보장되었다"며 엔딩 크레딧과 함께 올라가는 자막을 통해 '모드들'의 지난 시간이 결코 헛되지 않았음을 보여준다.

에밀리 팽크허스트의 남편인 리처드 팽크허스트(Richard Pankhurst, 1834-1898)와 친구 사이였고, 의회에 여성참정권을 촉구하는 법안을 같이 상정했던 존 스튜어트 밀(John Stuart Mill, 1806-1873)은 그의 책 『여성의 종속』(*The Subjection of Women*)에서 여성을 포함한 모든 사람들에게 투표권을 부여할 것을 강조하면서 다음과 같이 말한다. "자신을 지배할 사람을 뽑는 데 목소리를 낼 수 있다는 것은 비록 정부가 하는 일에 대한 직접 참여가 영구히 배제된다고 하더라고 모든 사람에게 허용된 자기 보호의 수단이라고 할 수 있다. 여성도 그런 선택을 하는 데 부족하지 않다는 것은 이미 법이 여성에게도 세상에서 가장 중요한 일을 결정하는 데 선택권을 주었다는 사실만 보아도 입증된다. (중략) 어떤 조건에서든지, 그리고 그 한계가 무엇이든지 간에, 남성은 투표권을 가지고 있는데 여성이라고 해서 그 권리를 부인하는 것은 정의의 원리에 어긋나는 일이다. (중략) 여성의 공정하고 평등한 권리를 보장하는 차원에서도 그들에게 투표권이 부여되어야 한다"고 했다.[9]

단지 여성으로 태어났다는 이유 만으로 인류의 반이나 되는 사람들이 불행한 삶을 살아감으로써 야기되는 심각한 해악과 부조리는 여전하지만, 이러한 부당함에 맞서는 '모드들'이 있는 한 희망의 끈을 놓지 않을 이유는 충분하다.

● deep into the film ●

차티스트 운동(Chartist Movement)

산업혁명은 영국 경제구조의 혁명적 변화 뿐만 아니라 정치구조도 크게 바꾸어 놓았다. 왕족과 귀족 지배체제가 무너지고, 노동자계급의 성년 남성들이 하나로 모여 선거권을 요구한 차티스트 운동(Chartist Movement, 188-1857)이 일어났다.

차티즘은 빅토리아 여왕 즉위 이듬해부터 일어난 일로 1838년부터 1857년까지 이어진 보통선거를 바탕으로 의회민주주의 실시를 요구하며 영국에서 벌어진 최초의 노동자 운동이다. 그리고 그 발단은 1832년 '제1차 선거법(The First Reform Act)' 개정으로 중산층에게도 선거권을 주었지만, 자본가 계급의 요구만 실현되었고, 노동자들의 요구가 이루어지지 않아 이에 반발해 일어났다. 특히 1834년 휘그당(Whig Party)의 주도로 새로운 '빈민법 개정안(Poor Law Amendment)'이 통과되어 노동자들의 불만이 커지게 되었다. 1838년 런던 노동자 협회는 '인민헌장(People's Charter)'을 발표하고 국민청원을 하원에 제출했으나 부결되었고, 정부는 강경책을 썼다. 이 강경책에 반발해 파업과 같은 형태로 투표권을 주장했다. 그들은 1839년 보통선거, 비밀선거, 선거구 평등화, 의회의 매년 소집, 피선거권의 재산 자격 폐지, 의원 세비 지급 등 6개 항목의 인민헌장을 내걸고 광범위한 정치운동을 전개했다. 이러한 운동은 영국 선거법 개정의 기반이 되었고, 1918년 30세 이상의 여성 참정권이 이루어졌다.

차티스트 운동은 노동운동의 방법이 '러다이트 운동(Luddite Movement)' 등의 과격한 방법에서 정치참여를 통한 영향력 행사라는 온건한 방법으로 바뀌었다는 의미를 지니는 사건이다.

04

'워싱턴 포스트', 위대한 폭로 뉴스로 역사의 초고가 되다

스티븐 스필버그 감독, <더 포스트>(2017)

04

'워싱턴 포스트', 위대한 폭로 뉴스로 역사의 초고가 되다.

스티븐 스필버그 감독, 〈더 포스트〉(2017)

베트남 전쟁 이면의 진실

베트남에 관한 1954년의 제네바 협정에 따라 베트남이 북위 17도를 경계로 남북으로 분단된 후, '옹오딘 지엠(Ngo Dinh Diem)' 정권이 독재, 부패 및 무능으로 국민들의 신뢰를 잃고 1963년 11월 군부 쿠데타(Coup d'État)로 무너지자, 남베트남의 내전이 새로운 단계로 접어들었다, 즉 베트공(베트남 민족 해방전선) 세력이 점점 더 많은 지역에서 지배권을 장악했고, 지엠의 뒤를 이은 군사정권은 이 베트공 세력을 다루기에는 무능했다.

한편 당시 미국의 존슨(Lyndon Baines Johnson, 1908-1973) 행정부는 전임 케네디(John Fitzgerald Kennedy, 1917-1963) 행정부와 마찬가지로 남베트남에서의 게릴라전을 북베트남 공산정권의 직접적 침략증거로 해석해 남베트남 정부에 대한 경제적·군사적 원조를 증대시켰다.

1964년 8월 마침내 존슨은 통킹만(Tonkin Gulf) 공해 상에서 북베트남 함정이 미군 구축함에 어뢰공격을 감행했다고 주장하고, 이 사건을 빌미로 북베트남에 대한 폭격을 명령했다. 그리고 동남아시아에서 미군에 대한 어떠한 무장 공격도 격퇴하고 더 이상의 침략을 막기 위해 필요한 모든 조치를 취할 수 있는 권한을 부여해 줄 것을 의회에 요청했다. 의회는 8월 7일 압도적 다수(하원은 만장일치, 상원은 반대 1표)로 이러한 취지의 공동결의안을 통과시켰다. 당시 존슨은 이 결의안을 미국의 베트남 전쟁 확전을 위한 '백지수표'로 보지는 않았다. 베트남에서 미국의 목표는 여전히 제한된 수단에 의해 이루어질 수 있다고 생각했고, 오히려 존슨의 주요 목적은 미국이 확고부동한 자세를 견지하는 결의에서 거국적으로 단합되어 있다는 것을 북베트남에 보여주려는 것이었다. 그러나 이 유명한 '통킹만 결의안'은 이후 베트남 전쟁의 법적 근거를 제공하며 많은 비판을 받았다.

스티븐 스필버그 감독의 <더 포스트>는 <워싱턴 포스트>(Washington Post) 신문 발행인 캐서린 그레이엄(Katharine Meyer Graham, 1917-2001, 메릴 스트립 분)과 편집국장 벤자민 브래들리(Benjamin C. Bradlee, 1921- 2014, 톰 행크스 분)가 정부가 숨기고 있던 펜타곤 기밀문서(Pentagon Papers)를 입수하고 이 문서에 담긴 베트남 전쟁 이면의 진실을 용기 있게 보도한 실화를 바탕으로 제작된 영화이다.

1964년 8월 2일 북베트남 통킹만 해상에서 미해군은 북베트남 해군에 선제공격을 가했다. 이에 북베트남 어뢰정 3척이 미해군 구축함에 반격했고, 미해군은 항공모함을 동원해 북베트남의 어뢰정 3척에 손상을 입히고 4명의 사망자와 6명의 부상자를 냈다. 당시 미국은 남베트남에 미군을 파견해 베트콩 진압에 나섰지만, 북베트남에는 개입하지 않았다. 미국이 통킹만 사건을 역이용해 독립국인 북베트남을 공격하고, 전쟁을 확대한 것이다.

맥나마라는 당시의 상황을 그대로 기록물로 남겨 국방부 1급 기밀문서로 보관하고 있었는데, 이것이 바로 펜타곤 기밀문서이다. 여기에는 2차대전 직후 1945년부터 1968년 5월까지 미국이 인도차이나에 개입한 기록을 담았다. 책임자는 맥나마라 장관이었고, 랜드연구소(RAND Corporation)의 대니얼 엘스버그(Daniel Ellsberg) 연구원이 이 문서작성에 참여했다. 전직 해군 장교였던 엘스버그는 처음에는 인도차이나에서의 미국의 역할을 지지했으나 펜타곤 문서 작성이 끝나갈 무렵, 미국의 인도차이나 개입에 대해 적극적으로 반대했다. 그는 인도차이나에서의 미국의 저의를 폭로해야 한다는 심적 부담을 강하게 느꼈고, 몰래 극비문서를 빼돌려 평소에 잘 알던 <뉴욕타임즈>(The New York Times)의 닐 시언(Neil Sheehan) 기자에게 넘겼다. <뉴욕타임즈>는 1971년 6월 13일 6면에 걸쳐 이 문서를 폭로해 보도했다.

〈더 포스트〉는 언론인으로서의 사명감을 통해 정론의 모습을 고스란히 보여주며, 1970년대 여성을 둘러싼 편견과 불합리에 맞선 캐서린 그레이엄의 용기와 결단을 고스란히 담아냈다.

이 펜타곤 문서에는 통킹만 사건을 비롯해 프랑스 점령 시의 미군의 지원, 베트남전 확대정책, 북베트남침공 등의 극비내용들이 기록되어 있었다.

공식명칭 '미-베트남 관계: 1945-1967(United States-Vietnam Relations, 1945-1967)'인 이 보고서는 총 47권, 약 3,000면의 설명과 4,000면의 부속 서류로 구성되어 있고, 베트남전 참전에 대한 법률적, 도덕적 정당성에 대한 내용이 상당수 포함되어 있었다.

"우리가 보도하지 않으면 국민도 지는 것이다."

영화는 엘스버그가 베트남 전쟁을 참관하고 전쟁의 충격적 실상을 목격하는 장면으로 시작한다. 댄 엘스버그는 실제 전쟁과 다른 내용을 전하는 정치인의 말과 행동에 모종의 결심을 하고, 트루먼(Harry S. Truman, 1884-1972), 아이젠하워(Dwight David Eisenhower, 1890-1969), 케네디, 존슨에 이르는 4명의 전임 대통령과 당시 닉슨(Richard M. Nixon, 1913-1994) 대통령이 30년간 국민을 상대로 거짓말을 한 내용을 담은 이른바 '펜타곤 문서'의 복사본을 몰래 만든다. 그리고 1971년 6월 13일 <뉴욕타임즈>는 '펜타곤 페이퍼' 특종보도로 미국 정부의 베트남 전쟁에 대한 거짓을 처음으로 공개한다.

이에 정부는 바로 관련보도를 금지시킨다. 그러나 <워싱턴 포스트>의 편집장 브래들리는 "우리가 보도하지 않으면 우리가 지고, 국민도 지는 것"이라며 '펜타곤 문서'를 입수하기 위해 사활을 걸고, 결국 4천 장에 달하는 정부기밀문서를 입수 후, 정부가 개입해 베트남 전쟁을 조작한 사건을 세상에 공개해야 한다고 주장한다.

미국 최초의 신문사 여성 발행인인 캐서린은 고뇌에 찬 시간 끝에 회사와 자신을 비롯한 모든 것을 걸고 기사를 내기로 결단한다.

닉슨 정부는 증권거래소 상장을 앞둔 <워싱턴 포스트>를 상대로 언론 탄압을 시작했고, 1심 법원에서는 <뉴욕타임즈>에 대해 국가기밀누설 혐의로 보도 정지 처분을 내렸다. 이후 모든 언론이 '펜타곤 페이퍼'의 문제를 지적하면서, 마침내 연방 대법원이 6:3으로 "언론은 통치자가 아닌 국민을 섬겨야 한다"며 언론의 자유를 옹호하는 판결을 내렸다.[10]

영화는 이른바 '워터게이트(Watergate)' 사건의 단초가 된 워싱턴 워터게이트 빌딩 내 소재한 민주당 전국위원회 본부에 다섯 명의 수상한 사람들이 침입하는 장면으로 끝난다.

워터게이트 사건

영화 <더 포스트>에서는 자세히 다루어지지 않았지만, 1972년 6월 워터게이트 호텔 경비원이 건물에 괴한이 침입한 낌새를 눈치채고 경찰에 신고했다. 급히 출동한 경찰은 민주당 전국위원회 본부에 침입한 배관공으로 위장한 다섯 명의 남자들을 현장에서 체포했다. 이들은 끝까지 단순절도를 주장했으나, 도청장치를 지니고 있었고, 3주 전에도 민주당 사무실에 침입했으며, 이는 고장난 도청기를 교체하기 위한 목적이었다는 사실이 드러났다. 이 사건이 언론의 주목을 받으면서 연방수사국(Federal Bureau of Investigation)이 직접 수사에 착수했다.

이는 이른바 '워터게이트' 사건으로 알려졌다. 1972년 대통령 선거운동 기간 중 닉슨 대통령 측근들이 펼친 정치적 스파이 활동과 은폐 공작은 닉슨 대통령이 냉전주의적 사고에 기반해 정적들을 억압하고 기필코 대통령에 재선되려고 했던 그의 정치적 강박관념의 소산이었다. 1974년 7월 30일 미합중국 하원 법사위원회는 워터게이트 사건으로 시작된 닉슨 대통령에 대한 탄핵조사 끝에 하원 본회의에 상정한 '탄핵소추안(Impeachment of President Nixon)'을 채택했다. 찬성 27표, 반대 11표로 의결된 탄핵소추안 제1항은 "법이 충실하게 집행될 수 있도록 관리할 헌법상 의무를 위반하면서"라며 워터게이트 사건과 관련된 형사범죄 및 이를 은폐하는 과정에서 사법정의를 방해했다는 혐의를 부과했다. 찬성 28표, 반대 10표로 채택된 제2항은 닉슨 대통령이 자행한 다섯 가지 권력 남용 사례를 나열하며 "그 어느 것이나 상원의 탄핵 재판에서 닉슨 대통령의 해임을 보장할 충분한 사유가 된다"고 보았다. 또한 찬성 21표, 반대 11표로 채택된 제3항은 "닉슨 대통령이 하원 법사위원회가 증거제출영장을 통해 요구한 147개의 녹음테이프와 관련 서류의 제출을 거부함으로써 하원의 헌법상 권위에 도전하고 의회를 모독했다"고 고발했다. 닉슨은 하원 본회의에서 탄핵을 결정하기 직전인 1974년 8월 8일 미합중국 대통령직을 사임함으로써 거의 확실시되었던 탄핵기소를 면했다.[11]

<더 포스트>는 미국이 30년간 은폐해 온 베트남 전쟁의 비밀이 담긴 정부기밀 문서를 세상에 알리기 위해 언론사의 운명을 건 신문사 발행인과 편집국장 및 소속 기자들의 언론인으로서의 사명감을 통해 정론의 모습을 고스란히 보여준다.

그리고 "이 영화를 통해 여성들이 적극적으로 목소리를 내기 이전의 사회를 다루어 보고 싶다"고 한 스필버그 감독의 말처럼 1970년대 남성 우위의 사회에서 여성을 둘러싼 편견과 불합리에 맞선 캐서린 그레이엄의 용기와 결단을 온전히 담아냈다. 그 결과 "뉴스(news)가 역사의 초고"라면 캐서린 그레이엄의 행보는 참된 저널리즘(journalism)이 무엇인지를 보여주며, 여성으로서 신문 발행인 역사의 초고가 되었다.

● deep into the film ●

미연방대법원의 표현의 자유에 대한 위헌심사기준

자유민주주의 헌법 체제 하에서 국가가 언론시장의 왜곡을 시정하고 올바른 여론형성을 위해 취하는 입법적 조치는 여론이 올바르게 형성되고 있지 않다는 인식에서 이를 시정해야 한다는 생각 및 언론시장에 나오는 각 신문의 보도나 논평이 올바른 사회적 책임을 이행하지 않거나, 불공정하게 보도되고 있다는 것을 전제로 한다. 또한 자유민주주의 체제 하에서는 사상의 시장에 등장하는 여러 의견의 좋고 나쁨이나 옳고 그름을 판단하는 주체는 독자인 국민이고, 국가권력은 여론형성 과정에서 항상 물러나 있어야 한다. 미연방대법원은 이에 대해 "표현의 자유(freedom of expression)를 보장하는 미연방수정헌법 제1조 하에서 틀린 아이디어(idea)란 존재하지 않는다. 하나의 의견이 아무리 해로운 것이라 하더라도 우리는 그 시정을 법관이나 배심원의 양심에 의존하지 않으며, 아이디어의 경쟁에 의존한다"고 했다.[12]

한편 대의정부는 폭력보다 공적 토론에 의해 평화적으로 정치적·사회적 변화가 이루어져야 한다는 전제 하에 수립되었다. 따라서 대의민주제도를 위협하는 언론은 제한될 수 있다. 그러나 만약 정부가 일정한 정치적 언론을 제한하거나 처벌할 수 있다고 하면 정부는 합법적으로 정부에 대해 반대하는 언론도 금지시킬 우려도 있다.

이에 위법한 행위의 선동과 관련한 위헌심사기준이 요구된다. 즉 정부는 언론의 자유를 내용을 이유로 또는 이와 무관한 부수적 사항 때문에 제한하는데, 전자를 이유로 제한 시에는 엄격한 심사기준이 적용된다. 그리고 후자를 이유로 제한 시에는 그 규제 내용이 공공장소(public forum)에서의 언론 행위인 경우에는 그 의사표현을 위한 다른 대체수단이 금지되지 않아야 하고, 그 제한 내용은 정부의 이익을 달성하기 위한 제한적인 것이어야 한다. 이에 비해 사적 장소(private places)에서의 언론행위에 대해서는 보다 광범위한 제한이 가능하다. 다시 말하면 표현에 대한 제한정도가 심하지 않으면(not substantial) 정부는 단지 그 규제가 합리적 사정임을 입증하기만 하면 된다. 그러나 만약 표현에 대한 제한의 정도가 심하면 정부는 반드시 정부가 달성하고자 하는 이익이 더 중요한 사정임을 입증해야 한다.

그러나 언론에 대한 지나친 대응은 언론의 자유를 위축시키는 부작용으로 나타날 수 있으므로 공인에 대해서는 그 책임을 제한하는 이론이 형성되었다. 즉 공적 인물에 대한 명예훼손 책임을 진실 또는 진실이라고 믿은 상당성에 의해 위법성을 조각시키는 방법으로 그 책임을 인정하지 않는 것이다.

이러한 공인이론은 미국에서 발전해 대다수의 나라에서 통용되고 있다. 1964년 뉴욕타임즈 대 설리반(New York Times Co. v. Sullivan) 사건에서 미연방대법원은 “정치인, 종교인, 유명 스포츠 스타 등 공적 인물에 대한 표현은 실제적 악의(actual malice)가 있지 않는 한 명예훼손책임이 인정되지 않는다”고 판시했다.[13] 당해 판결은 1960년 3월 29일 뉴욕 타임즈에 실린 의견광고 “그들의 떠 오르는 목소리를 들어라(Heed their rising vocies)”가 몽고메리시 경찰책임자인 설리반의 명예를 훼손하였는지 여부가 문제된 사안에서 이루어졌다.

킹 목사보호위원회는 이러한 제목으로 모금광고를 뉴욕 타임즈에 게재했는데, 그 내용은 몽고메리에서 일어난 흑인민권운동에 대한 경찰의 탄압을 묘사하며 이를 비난하는 것이었고, 광고 말미에 64명의 지지자 이름 및 20명의 흑인 목사 이름이 게재되었다. 몽고메리의 선거직 경찰감독관인 설리반은 뉴욕타임즈 및 4명의 앨라바마주 거주 흑인 목사들을 상대로 명예훼손으로 인한 손해배상으로 50만달러를 청구했고, 주법원은 "발행인은 그 내용이 진실이라고 믿은데 대해 합리적 이유가 있다고 하더라도 그 내용이 허위이면 책임을 져야 하고, 그 내용이 진실이라고 하는 사실은 이를 주장하는 측에서 입증해야 한다"는 전통적 법리에 따라 이를 인정했다.

이에 대해 미연방대법원은 "이는 개인에 대한 단순한 실제적 진술의 문제가 아니라 정부정책에 대한 비판에 관한 사건이다. 공적 쟁점에 대한 토론은 제한되어서는 안되고 열려 있어야 하며, 가끔 그 내용이 격하거나 심하고, 경우에 따라서는 정부나 공무원에 대한 불쾌한 공격일 수도 있다. 만약 공적 행위에 대한 비판이 반드시 진실에 기초해야 한다면 이는 자유로운 토론보다는 자신에 의한 검열을 요구하게 된다. 공무원이 공적직무에 관해 명예훼손 소송으로 손해배상을 받기 위해서는 그 표현이 허위이고, 표현자가 허위라는 사실을 인식하고 있었거나 허위에 대해 부주의가 있는 경우 즉 현실적 악의를 가지고 있었다는 것을 입증해야 한다"고 판시했다. 그런데 이 사건에서는 현실적 악의를 입증할 증거가 없으므로 설리번의 청구는 부당하다는 결론을 내렸다.

05

‘악명 높은 RBG’, 삶의 위대한 발자국을 남기다.

✺

벳시 웨스트·줄리 코헨 감독, <루스 베이더 긴즈버그 : 나는 반대한다>(2018)

05

'악명높은 RBG',
삶의 위대한 발자국을 남기다.
벳시웨스트·줄리코헨 감독,
〈루스 베이더 긴즈버그: 나는 반대한다〉(2018)[14]

미연방대법원 반대의견의 대명사인 긴즈버그 대법관

1787년 미연방헌법에는 평등에 관한 일반 규정이 없었고, 200여년이 지난 지금도 현행 미연방헌법에는 우리나라 헌법 제11조 제1항처럼 성별에 근거한 차별을 금지하는 규정이 없다. 법의 평등보호가 처음으로 규정된 1868년의 미연방수정헌법 제14조에도 성별을 근거로 한 차별금지는 규정되지 않았다. 즉 미연방수정헌법 제14조가 채택되었을 당시 여성의 참정권은 인정되지 않았고, 많은 주에서 혼인한 처(妻)의 계약능력은 부인되었다. 이처럼 미국에서는 여성에 대한 차별의 역사가 지속되어 왔는데, 1970년대 이후 성평등을 실현하기 위해 '성역할 고정관념화 금지 원칙'이 주장되기 시작했다. 그리고 이는 미국 가정 내에서 성과 여성의 역할을 전통적으로 구분하는 이분법을 타파해 성평등을 실현시키기 위한 논리로 발전했다.

한편 미연방대법원은 2차 세계대전 이후 많은 여성들이 노동시장 영역에 진입한 이후에도 계속해 고정관념에 기초한 성차별을 허용했다. 예를 들면 1961년 호이트 대 플로리다(Hoyt v. Florida)사건에서 남성들은 그들이 예외를 요청하고 그 요청이 받아들여진 경우가 아니라면 배심원으로 봉사해야 하지만, 여성들은 이러한 요청을 하지 않아도 배심원단에 포함되기를 명시적으로 표명하지 않는 한, 자동적으로 배심원의 임무에서 면제되도록 하는 플로리다(Florida) 주법에 합리성 심사기준을 적용해 합헌 판결을 했다.[15] 이처럼 1970년대 이전까지는 성별에 기한 차별이라는 이유로 제기된 위헌 청구에 대해 합리성 심사 기준을 적용해 합헌으로 판시했다. 이는 성별에 기한 차별로 인해 위헌심판의 대상이 된 법률들은 더 약한 성인 여성을 보호해야 할 필요성과 여성이 사회에서 차지할 알맞은 지위라는 가설과 관련된 가부장적 태도를 반영한 것이었다.

그러나 1970년대 이후 성차별 법률에 대한 지속적 반대 운동이 전개되자 미연방대법원은 여성 보호적인 성차별 법률에 대한 위헌심사 기준을 강화하기 시작했다. 그리고 1971년 리드 대 리드(Reed v. Reed)[16] 사건에서 처음으로 성(gender)차별 문제를 미연방수정헌법 제14조의 평등보호조항에 근거해 판단했고, 동 판결을 통해 위헌심사 기준을 기존의 합리성 심사 기준에서 중간심사 기준으로 발전할 수 있는 발판을 마련했다.

세상을 평등하게 바꾸어 가기 위해 구사된 '법의 언어'

벳시 웨스트·줄리 코헨 감독의 <루스 베이더 긴즈버그: 나는 반대한다>는 이러한 위헌심사기준의 변화를 가져온 긴즈버그(Ruth Bader Ginsburg, 1933-2020)의 일대기를 다룬 다큐멘터리(documentary) 영화이다.

1933년 태어난 긴즈버그는 뉴욕(New York) 브루클린(Brooklyn)의 노동자 거주 지역에서 자랐고, 하버드 로스쿨(Harvard Law School)에 진학해 남편 마틴 긴즈버그(Martin Ginsburg)와 함께 학업을 이어나갔다. 그 사이 마틴이 암 진단 후 치료받는 동안 긴즈버그는 그의 과제를 도와주고 자신의 강의를 듣고 과정을 수료하며 아이를 양육했다. 이후 콜럼비아 로스쿨(Columbia Law School)로 옮겨 수석으로 졸업했다.

그런데 당시 뉴욕의 그 어느 로펌(lawfirm)도 긴즈버그를 단지 여성이라는 이유로 채용하지 않았다. 이에 제럴드 건서(Gerald Gunther)교수가 연방 판사에게 긴즈버그를 채용하지 않으면 향후 콜럼비아 학생을 추천하지 않겠다고 한 이후에 재판연구원으로 일하게 된다. 이후 긴즈버그는 럿거스(Rutgers Law School) 및 콜롬비아 대학교 로스쿨 교수, 콜럼비아 특별재판구 연방항소법원 판사를 거쳐 1993년부터 2020년 사망 때까지 연방대법관으로 재직했다.

영화는 1970년대 긴즈버그가 로스쿨에서 '여성과 법' 강의를 하며 성차별에 대한 관심을 가지기 시작한 후, 미국시민자유연맹 (American Civil Liberties Union, 이하 'ACLU')의 참여 변호사로 성차별 법률의 철폐에 매진하며 미연방수정헌법 제14조 제1항[17]의 '사람(person)'이라는 표현에 주목해 여성도 이 평등권

조항의 적용대상이 될 수 있도록 선구적 노력을 하는 과정을 담아낸다.

특히 긴즈버그는 당시 성차별 입법이 대부분 사법심사 과정에서 합리적 심사기준을 적용받아 합헌판단을 받아오던 것에 적극적으로 이견을 제시하며, 차근차근 차별적 입법이 폐지되도록 했다. 다음은 영화에 소개된 총 9건의 케이스(case) 중 일부이다. 첫째, 1975년 와인버거 대 와이젠펠드(Weinberger v. Wiesenfeld)[18]사건이다. 와이젠펠드는 아내와 사별 후, 혼자 아이를 키우던 중 보육수당을 신청하기 위해 사회보장사무소를 찾아가지만 그 어떠한 도움도 받지 못한다. 당시 육아는 전적으로 여성의 몫이었기 때문에 남성에게는 보육수당이 지급되지 않았기 때문이다. 이에 긴즈버그는 이 사건이 성차별이 남성에게도 해가 된다는 사실을 보여준다고 여겨 해당 사건의 변호를 맡아 승소로 이끌었다.

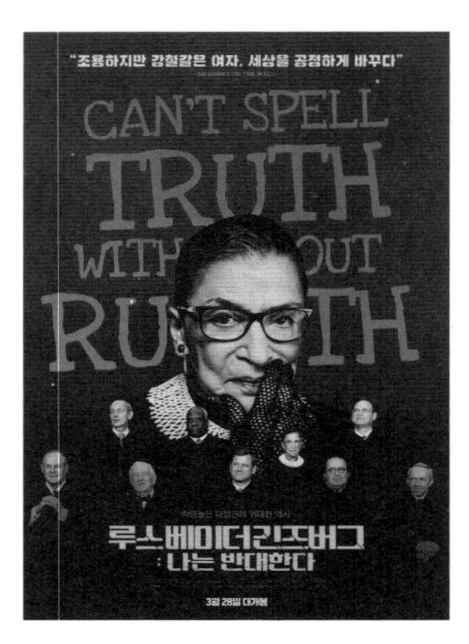

〈루스베이더긴즈버그: 나는 반대한다〉는 미연방대법관으로서 사회적 약자들의 편에서 반대의견을 내며, 헌법의 가치를 수호한 긴즈버그의 일대기를 담아냈다.

둘째, 1996년 미국 대 버지니아(United States v. Virginia) 사건에서 남성 입학만을 허용하던 버지니아 군사학교(Virginia Military Institute, 이하 'VMI')에 대해 긴즈버그는 "여성의 특성에 대한 일반화는 대부분 여성에게 가장 적합한 것이 무엇인지를 추측하게 하지만, 보통의 범주에서 벗어난 재능과 능력을 가진 여성들에 대한 기회를 부정하는 것을 정당화할 수 없고, VMI가 남성과 여성을 모두 받아들인다면 '더 완벽한 연합'에 기여할 것이고, 학교나 성별 간 관계를 파괴한다고 볼 수 없다"는 의견을 피력했다. 이에 대해 연방대법원은 "VMI가 남성만을 입학시키는 정책을 취하고 있는 것은 헌법의 평등보호 조항에 위반되는 것"이라는 버지니아 주법원의 판결을 지지하며, "이러한 성별에 근거한 구분은 중간심사를 만족할 수 없다"고 하며 6:3으로 위헌 판결했다.[19]

셋째, 2007년 레드베터 대 굿이어(Ledbetter v. Goodyear) 사건이다. 이는 타이어 공장 관리자인 레드베터가 1999년부터 19년 간 회사에서 일하며 남성관리자보다 20-40% 적은 임금을 지급받아왔다고 주장하며 회사를 상대로 제기한 급여 차별에 관한 사건이다. 연방대법원은 해당 사건에서 레드베터의 청구가 사용자의 차별혐의를 인정한 결정이 있은 때로부터 180일의 제소기간을 도과했다고 판결했다.[20] 이에 대해 긴즈버그는 "1964년 제정된 민권법(The Civil Rights Act) 제7장은 인종, 피부색, 종교, 성별, 출신 국가를 사유로 한 직장 내 차별을 금지하는데, 이는 실제 사업장의 고용 행태를 규율하겠다는 의도였으나, 오늘날 법원은 사업장의 현실을 외면하고 있다. 성별에 따른 임금 차별은 일반적으로 작은 차이부터 시작하고, 차별이 존재한다고 의심하게 만드는 원인은 시간이 경과함에 따라 발생하며, 더욱이 다른 직원과의 급여를 비교한다는 것은 매우 어렵다. 법원의 판단은 여성이 얼마나 교활한 방법으로 급여 차별의 피해자가 되는지 이해하지 못하거나 아예 무관심하다는 결과이다"라고 비판하며, 반대의견을 피력했다. 그리고 이후 2009년 노동자들이 임금차별 관련 소제기시 "차별적 임금이 결정된 지 180일 이내에 제기해야 한다"는 1964년 민권법상 제한규정을 수정하는 것을 주요 골자로 하는 '릴리 레드베터 공정임금법(Lilly Ledbetter Fair Pay Act)'이 제정되었다.

넷째, 2013년 셀비 카운티 대 홀더(Shelby County v. Holder) 사건이다. 이는 역사적으로 인종차별이 심했던 주에 대해 소수인종의 참정권을 보장하기 위해 주 선거법 개정시 연방정부의 승인을 받아야 함을 규정한 '투표권법(Voting Rights Act)' 제4조의 위헌 여부가 문제된 사안으로 연방대법원은 인종차별에 대한 시대적 변화가 이루어졌음을 이유로 이 법률조항을 위헌으로 판결했다.[21] 이에 대해 긴즈버그는 "미국 내 모든 구성원의 평등한 시민적 지위, 인종을 빌미로 희석되지 않는 민주주의 체제, 그 안에서 모든 유권자들에게 공평하게 주어진 발언권이 위기에 처했으며, 투표권법이 훌륭하게 작동한다는 이유로 이를 폐기하는 것은 비에 젖지 않는다고 빗 속에서 우산을 던져버리는 것과 같은 것"이라는 반대의견을 제시하며, 다수의견을 강력히 비판했다. 그리고 이러한 위헌 결정 이후 노스캐롤라이나(NorthCarolina) 주는 2016년 여권과 운전면허증 등 사진이 있는 신분증을 가진 유권자만 투표할 수 있도록 선거법을 개정했다. 이러한 개정의 이면에는 전통적인 공화당 강세 지역인 노스캐롤라이나주에는 경제적으로 어려운 형편인 유색인종과 나이 어린 학생은 해당 신분증이 없는 경우가 많았기 때문에 민주당의 주요 지지층인 이들을 막기 위한 술수였다. 긴즈버그는 연방대법원의 해당 위헌 판결이 이처럼 인종차별이 심했던 주들이 인종차별적 선거법을 도입해도 된다고 연방대법원이 허가해 준 것이나 다름없음을 우려했던 것이다.

한편 이 판결 이후 긴즈버그는 대중들에게 '악명 높은(notorious) RBG'라는 별명을 얻었다.

또한 영화에서는 다루어지지 않았지만, 연방대법원이 긴즈버그의 주장을 인용하며 처음으로 성차별의 문제를 미연방수정헌법 제14조의 평등보호조항에 근거해 판단하고, 평등권 위헌심사 기준에 대해서도 기존의 합리성 심사 기준에서 그 기준을 더욱 엄격하게 해석·적용하는 중간심사기준으로 발전할 수 있는 발판을 마련한 1971년 리드 대 리드(Reed v. Reed) 사건[22]이 있다. 이는 유언 없이 사망한 미성년자의 유산 상속 시 유산관재인 지정 시 동등한 위치의 상속인인 양부모 중 남성의 우위를 인정한 아이다호(Idaho) 주 '유언검인법(Probate Code)' 상 규정이 문제된 사안으로 긴즈버그는 양모(養母)인 샐리 리드를 대리했다. 긴즈버그는 "성별에 있어 생물학적 차이는 재산관리인이 수행해야 하는 직무와 무관하며, 이는 행정적 편의에 불과하다"고 했고, 연방대법원은 "성에 기초한 판결은 정당한 주의 목적에 공정하고 실질적 관련(fair and substantial relationship to legitimate state ends)을 가진 경우에 한해 합헌"이라고 하며 "어느 한 쪽의 성에게만 우선권을 주는 것은 헌법상 평등조항이 금지하는 자의적 입법"이라고 판결했다.

'시대의 아이콘(icon)' 긴즈버그를 추모하는 행렬

긴즈버그는 남성 원고들의 청구를 대리하며 '성역할 고정관념화 금지원칙'에 근거한 새로운 평등보호 원칙을 확립해갔다.

그 결과 1980년대 초 미연방대법원은 성별에 기초한 주정부 행위에 대해 고양된 심사기준(heigtened serutiny)의 적용을 확대했고, 대부분의 연방 및 주법의 형식적 성별에 의한 차별을 근절했다.

또한 긴즈버그는 "삶의 길을 갈 때 발자국을 남겨라. 후세의 건강과 안녕을 추구하는 방향으로 사회가 나아갈 수 있도록 자신에게 주어진 몫을 다하라"[2]는 생전 본인이 남긴 말을 일생 동안 그대로 실천하며 사회적 약자들의 아픔을 외면하지 않고, 그들을 대변하여 타협 없이 반대 의견을 내며 이들의 기본권을 보장하고 헌법적 가치를 수호하기 위해 정진했다.

2020년 9월 췌장암 합병증으로 고인이 된 긴즈버그를 추모하기 위해 미국 전역에서 수천 명의 사람들이 거리로 나왔다. 당시 사람들은 긴즈버그의 얼굴이 새겨진 티셔츠(T-shirt)를 입고 노래부르며 행진했다.

이러한 모습은 한국에서는 상상하기 어려운 풍경이다. 그러나 '법의 언어'로 더 많은 사람들이 평등을 누릴 수 있도록 세상을 바꾸어 나간 긴즈버그의 일대기를 다룬 영화 <루스 베이더 긴즈버그: 나는 반대한다>는 그 어느 때보다 우리 사회에 시사하는 바가 크다고 보여진다. 젠더 평등이나 임금 평등을 비롯한 평등권에 직접적으로 관련 있는 사회적 담론들을 영화 속 주제로 다루고 있기 때문이다. 그리고 영화를 보고 나면 2020년 당시 미국에서의 행렬의 대열에 서있는 자신을 상상할 수 있을 것이다.

● deep into the film ●

미연방대법원의 위헌 판결의 효력

세계에서 효력을 가지고 있는 헌법 중 가장 오래된 미연방헌법은 18세기 유럽에서 풍미했던 계몽운동 사상을 국가의 통치원리로 삼고, 우선 인민이 정부를 수립하는 것을 강조해 그 전문에서 "우리 합중국 인민들은 더욱 완전한 연방을 형성하고, 정의를 확립하고, 국내안녕을 보장하고, 공동방위를 도모하며, 일반복지를 증진시켜 우리들과 우리들의 자손만대에 자유의 혜택을 확보하기 위해 이 헌법을 제정·확정한다"고 규정했다.

그리고 연방헌법은 법원 조직에 관해 제3조 제1항에서 "연방사법권은 1개의 최고법원(supreme court)과 연방의회가 수시로 제정해 설치하는 하급법원(inferior court)에 속한다"고 규정했다. 이처럼 연방헌법에 의해 설립된 법원을 헌법법원이라 하고, 여기에는 연방대법원(The U. S. Supreme Court), 13개의 연방항소법원(Court of Appeals) 및 94개의 연방지방법원(District Court)이 속한다. 연방대법원은 9명의 대법관으로 구성되고, 연방항소법원은 11개의 지구 순회법원(Circuit), 워싱턴디씨(DC)를 관할하는 콜럼비아 특별재판구 항소법원(District of Columbia Court), 연방순회항소법원(Court of Appeals for Federal Circuit)으로 구성되며, 연방지방법원은 미국 전역을 94개의 지역으로 나누어 설치되어 있다. 주(州)의 법원은 주의 역사나 전통에 따라 그 형태나 명칭이 다르게 규정되어 있다.

보통의 사건은 주법원의 관할에 속하고, 연방법원의 관할은 미연방헌법 제3조에서 규정한 연방 문제에 관련된 사건과 주 사

이의 관할권이 충돌하는 사건에 한한다.[25]

한편 연방대법원의 대법관 구성에 따라 연방대법원 판례는 시기별로 일정한 흐름을 보이는데, 예를 들면 1803년 마베리 대 메디슨(Marbury v. Madison) 사건[26]에서 법원의 위헌심사제가 확립된 이후에는 사법소극주의(conservatism)가 지배적이었던 반면 1953년부터 1969년까지는 진보적 사법적극주의(liberalism)가 우세했다. 그리고 1986년부터는 보수주의 물결을 타고 사법심사에 있어 엄격한 헌법해석과 정책결정에의 불개입이라는 기치 아래 이른바 '신보수주의 시대'가 열렸다.[27]

마베리 대 메디슨 사건의 사실관계는 다음과 같다. 1800년에 실시된 대통령 선거에서 현직 대통령인 연방파의 존 아담스(John Adams)가 재선에 실패하고, 공화파의 토마스 제퍼슨(Thomas Jefferson)이 당선되었다. 낙선한 아담스 대통령은 1801년 1월 당시 국무 장관이었던 마샬(John Marshall)을 대법원장에 지명하고, 상원의 동의를 받아 2월 4일 대법원장에 임명했지만 자신의 임기종료시까지 국무장관직과 대법원장직을 겸직하도록 했다. 당시 의회는 공화파의 사법부에 대한 영향력을 약화시키기 위해 1801년 2월 13일 '항소심판사법(Circuit Judge Act)'을 제정해 연방대법원의 대법관수를 6명에서 5명으로 줄이고 연방대법원의 대법관이 항소심 법원에서 재판할 수 없도록 하며, 그 대신 항소심 판사 수를 16명으로 늘렸다. 이어 2월 27일에는 콜롬비아(Columbia) 지구 치안판사 수를 42명으로 늘릴 수 있도록 '콜롬비아 지구 조직법'을 제정했다. 이 조직법에 따라 아담스 대통령은 1801년 3월 2일 마베리를 콜롬비아지구 치안판사로 지명하고, 그 다음날 상원의 인준을 받았으며, 아담스 대통령은 임명장에 서명을 마쳤다. 그런데 대법원장이면서 국무장관직을 수행하고 있던 마샬은 임명장을 마베리에게 전달하지 못했다. 3월 4일 대통령에 취임한 제퍼슨은 임명장 전달을 거부하면서 임명장이 전달되지 않았음을 이유로 마베리를 치안판사로 임명한 것은 무효라고 주장했다. 이에 마베리는 신임 국무장관 메디슨에게 임명장을 교부하도록 하는 직무집행영장(writ of mandamus)을 청구했고, 1789년 '법원법 (Judiciary Act)'은 이러한 사건에 대해 연방대법원이 1심 관할권을 가지는 것으로 규정했기 때문에 연방대법원에 소를 제기한 사안이다.

이 사안에서 마샬 대법원장의 고민은 원고의 청구를 인용하면 행정부가 이를 무시해 대법원의 권위가 실추될 수 있고, 청구를 기각하면 공화파의 교만에 굴복하는 결과가 되어 연방파가 마샬 대법원장의 직무를 방해하게 될 것을 염려해 연방대법원의 권위를 높일 묘안을 고안했다. 그리고 해당 사안에서는 (i) 원고는 자신이 주장하는 임명장의 교부를 청구할 권리가 있는지, (ii) 만약 원고가 그가 주장하는 권리를 가지고 있고, 그 권리가 침해되었다면 그 구제를 허용해야 하는지, (iii) 만약 법률이 원고에게 구제를 허용해 준다면 그 형식은 연방대법원이 발부하는 직무집행영장이 되어야 하는지 여부가 문제되었다.

이에 대해 연방대법원은 "(i) 대통령에 의해 서명되고 국무장관이 봉인한 이상 임명장교부를 위한 직무집행영장 청구는 가능하다. (ii) 법원이 심사할 수 없는 정치적 행위와 법원이 심사할 수 있는 행위가 구분되는데, 임명장수여 거절행위는 후자에 속하므로 사법적 권리구제가 허용되어야 한다. (iii) 연방대법원의 1심 관할권을 인정한 법원법은 '연방대법원은 대사 기타 외교사절 및 영사에 관한 모든 사건과 주가 당사자인 사건에 대해 제1심 재판 관할권을 가진다. 연방대법원은 '그 외 모든 사건에 대해 의회가 정하는 예외적 경우를 제외하고 의회가 정하는 규정에 따라 법률 문제와 사실문제에 대해 상고심의 재판관할권을 가진다'는 연방 헌법 제3조 제2항 제2호에 위반되어 위헌이므로, 연방대법원에 직접 청구된 이 사건은 부적법하다"고 판시했다.

즉 헌법의 아버지들은 헌법을 제정함에 있어 이 법이 곧 국가의 근본법이자 최고법이 될 것을 상정했으므로 어떠한 국가기관의 행위이든지 헌법에 저촉되지 않는 범위 내에서 행해져야 하며, 따라서 헌법에 위반되는 입법은 무효(void)이고, 무엇이 법인지를 선언할 수 있는 기관은 사법부이므로 실제 사건에서 의회가 제정한 법률이 헌법에 위반되는지 여부를 판단해야 하는 기관은 의회가 아닌 법원이며, 의회가 제정한 법률의 합헌성 여부를 사법부가 심사하는 것을 허용하지 않는 것은 제정된 모든 성문헌법을 파괴하는 것이라고 본 것이다.

이처럼 마샬대법관은 해당 사건에서 원고청구의 정당성을 인정했지만, 대법원이 이에 대해 법적 구제를 제공할 수 있다는 주장은 받아들이지 않았다. 즉 직무집행영장의 발행권한을 명시한 1789년 법원법 제13조에 대해 위헌 선언함으로써 연방 대법원의 위헌법률심사권을 확립했다.

한편 연방헌법 제3조 제2항 제1호는 “사법권은 사건 및 쟁송(case and controversies)에 대해 재판권을 가진다”고 규정되어 있다. 따라서 미국의 법원은 구체적 통상소송의 진행 중 합헌성이 다투어지는 법령이나 조약의 위헌 여부가 재판에 영향을 미치는 경우에 한해 그 위헌 여부를 심사하되, 헌법판단은 주문이 아니라 이유 중에 나타나는데 그친다. 그러므로 각급 연방법원과 주법원이 모두 사법심사권을 가진다. 다만 연방대법원이 최종적으로 유권적 헌법해석을 하는 것에 불과하다.

또한 연방대법원이 구체적 사건의 해결을 위해 당해 사건에 적용되는 법령 등의 위헌을 최종적으로 판단한 경우 그 법령 등은 모든 사람에 대해 무효 효력이 있는 것이 아니라 당해 사건에 한해 그 법률이 효력을 가지지 못한다. 그러므로 위헌으로 선고된 법령도 법령집에서 제거되지 않는다. 다만 선례구속성(先例拘束性)이 인정되는 미국에서는 그 위헌판단이 동종의 사건에서 그 후 법원의 판단을 구속하므로 당사자 이외에도 영향을 미치고, 적용 대상이 광범위해 문면상 무효인 법률에 해당한다는 이유로 위헌으로 확인된 경우에는 당연무효로서 대세적 효력이 인정된다.

한편 연방대법원의 의사정족수는 6명이고, 위헌판단은 참여재판관의 과반수에 의한다.

06

대한민국 헌법 제 1조 제 2항, "국가는 곧 국민이며, 국민은 곧 국가이다."

✹

양우석 감독, <변호인>(2013)

06

대한민국 헌법 제1조 제2항, “국가는 곧 국민이며, 국민은 곧 국가이다.”

양우석 감독, <변호인>(2013)

제5공화국 정권의 국가정책 노선

19세기 말까지의 자유주의는 고전적 자유주의로 자본축적을 위한 자본의 활동에 대해 별다른 통제가 없었다. 그러나 이러한 고전적 자유주의는 1917년 러시아 혁명이 성공을 거둔 이후 사회주의 세계혁명이 독일, 이태리 등으로 퍼지면서 큰 도전에 직면한다. 즉 사회를 파괴하는 자유주의적 경향이 강화되자 이에 대한 반작용으로 사회를 방어하려는 더 큰 힘인 수정자본주의가 나타났다. 그리고 이러한 수정자본주의는 1940년대 후반 이후부터 1960년대 말까지 미국의 헤게모니(hegemony) 아래 ‘실물적 팽창’을 누리며, 자본축적의 순환체계를 이루었다.

한편 1970년대 초반 부상한 신자유주의는 1970년대 말 이후 미국, 영국, 중국 등 주요 자본주의 국가들에 의해 축적을 위한 국가정책 노선으로 채택되었다. 그리고 2000년대 후반 위기에 빠진 적도 있지만 여전히 지금까지도 세계자본주의의 지배적 축적체제로 작동하고 있다.

1959년부터 1973년까지 즉 신자유주의가 급부상하기 이전 미국의 빈곤율은 22.4%에서 11.1%로 내려갔지만 신자유주의 금융화가 진행되어 최고의 호경기를 맞이한 1990년대에는 오히려 증가했다. 그리고 이러한 현상은 미국 뿐만 아니라 한국, 영국의 경우에도 유사하게 나타났고, 특히 소득의 불평등과 빈곤 증가 문제를 가져왔다. 이는 신자유주의 정책이 광범위하게 시행되면서 거대한 부가 축적되는 동시에 다른 한편으로는 축적된 부의 상향 집중으로 빈곤이 확산되었기 때문이다.

또한 신자유주의는 미국과 영국이 자국의 정치경제를 신자유주의노선으로 본격적으로 전환한 시점부터 동시에 세계화의 길을 걷는다. 이러한 신자유주의의 세계화는 긴축재정, 사회 인프라에 대한 공공지출 삭감, 외화시장 개방, 시장 자율금리, 변동환율제, 무역 자유화, 외국인 직접투자 자유화, 탈규제, 국가기간 산업의 민영화, 재산권 보호 내용을 담은 '워싱턴 컨 센서스(Washington Consensus)'에 함축되어 있다.

〈변호인〉은 1981년 군사정권이 용공사건으로 조작한 '부림사건'을 변호한 고(故) 노무현 전(前) 대통령의 실제 이야기를 담아냈다.

반면 한국에서의 신자유주의는 1979년 4월 당시 경제부총리가 발표한 금융자율화, 통화량 감소, 가격통제 해제, 중화학공업 투자 중지, 수출금융 축소, 수입 자유화 등의 내용을 담은 '경제안정화종합시책'을 시발점으로 전두환 정권 하에서 더욱 확고하게 진행되었다. 그리고 1980년대 초 신자유주의는 경제정책 뿐만 아니라 문화자유화 정책도 추진함으로써 상당히 체계적으로 이루어졌다. 또한 이 당시 한국에서의 신자유주의는 새로운 경제관료 집단의 형성에 힘입어 가속화되었다. 이들은 1980년대 말 이후 세계무역기구, 미국과의 양자간 투자협정 등 상당 수의 국제무역협상에 참여하며 자본의 축적 조건 개선을 위한 새로운 시장질서 확립을 위해 국익을 무시하는 행동도 감행했다.

"대한민국의 주권은 국민에게 있다."

양우석 감독의 <변호인>은 이러한 시대적 배경하에 실제 있었던 '1981년 부림사건'을 다룬 영화이다. 군사 쿠데타(coup d'État)로 권력을 잡은 제5공화국 정권은 집권 초기 공포정치로 통치 기반을 확보하고자 전국 각지에서 용공사건을 조작하며 민주화 세력을 탄압했다.

'부림 사건'은 이보다 앞서 서울에서 '전국민주학생연맹' 학생들을 불법·감금하고 반국가단체범으로 몰아 처벌한 사건을 '학림 사건'으로 불렀기 때문에 이를 본따 붙인 명칭이다.

이 사건은 부산 지역의 민주 인사를 탄압하기 위해 조작된 것으로 이들은 부마사태를 조장했다는 이유로 1979년 10월 16일 검 거되었던 사람들로 박정희 사망으로 일시 석방되었다.

그러나 신 군부는 이들이 다른 반정부세력과 연계해 계속적 활동을 하리라 보고, 1981년 9월 7일에 1차로, 10월 15일에 2차로 총 22명을 구속했다.[28]

1981년 제5공화국 군사정권은 부산지역의 양서협동조합을 통해 사회과학 독서모임을 하던 학생·교사·회사원들인 이들을 영장 없이 체포 후, 정부 전복을 꾀하는 '반국가단체 찬양 및 고무'로 몰아갔다.

영화는 고(故) 노무현 전(前)대통령으로 분(扮)한 주인공 송우석(송강호 분)이 대전지방법원 판사직을 사임 후, 고향인 부산으로 내려가 변호사 사무실을 개업하면서 시작한다. 그리고 부동산 등기 업무부터 세금자문에 이르기까지 탁월한 수완으로 성공하며 부산 지역에서 소위 '잘 나가는 변호사'로 이름을 날리는 모습을 보여준다.

그러던 어느 날, 송우석이 사법시험 공부를 할 때 밥값 신세를 진 국밥집 주인인 최순애(김영애 분)의 아들 박진우(임시완 분)가 '부림 사건'에 휘말리고, 송우석은 최순애와의 인연으로 부림 사건을 맡는다.

진우는 야학에서 여공들에게 국어를 가르치던 어느 날 실종되었는데, 최순애가 부산 시내를 두 달 동안이나 아들을 찾아 다니던 중 집으로 송달된 진우의 재판출석통지서를 들고 송우석을 찾아온다. 최순애와 함께 진우를 접견한 송우석은 고문의 흔적이 역력한 진우를 보고 분노하면서 '국가보안법 위반죄'로 수감되어있는 진우를 변호하기로 한다.

송우석은 공판에 임하기 전 진우가 속한 '좋은 책 읽기 모임' 회원들이 읽다가 국가보안법 위반으로 체포되었다는 에드워드 헬릿 카(E. H. Carr, 1892-1982)의 『역사란 무엇인가』(*What is History?*) 를 비롯한 수 권의 책을 구입해 탐독한다. 그리고 법정에서 검사가 핵심증거로 제출한 피고인들의 자백이 고문에 의한 허위자백임을 밝히고, 이들이 돌려 읽은 『역사란 무엇인가』에 대해 "아주 좋은 책이고, 한국에서도 많이 읽혀지기를 바라는 양서이다"라는 영국외교부가 보내 온 편지를 읽는다.

해당 재판은 마지막 공판에 이르기까지 수 차례 공판이 진행되었는데, 그 와중에 1980년대 혼란스러웠던 정치상황을 북한과 연계하여 시국사범으로 몰아 사건을 하루라도 빨리 마무리지으려는 판사(송영창 분)와 검사(조민기 분), 검사측 편에서 허위증언을 하는 내외정책연구소 수석연구원(박수영 분), 군부 독재의 상징적 인물로 등장한 당해 사건의 고문 경감인 차동영(곽도원 분) 등이 진실을 은폐하고 왜곡하는 권력구조의 시스템 하에서 서로 유기적으로 연결되어 있음이 드러난다.

송우석은 마지막 공판에서 차동영을 증인으로 신청 후, 증인석에서조차 고압적 자세와 반말로 일관하는 차경감에게 국가가 무엇이냐는 질문을 한다. 이에 차경감이 "변호사라는 사람이 국가가 뭔지도 몰라?"라며 반말로 소리치자, 송우석은 "대한민국 헌법 제1조 제2항 대한민국의 주권은 국민에게 있고 모든 권력은 국민으로부터 나온다. 국가란 국민이다"라고 답한다. 그리고 이어서 "증인은 그 국가를 아무런 법적 근거도 없이 국가 보안 문제라고 탄압하고 짓밟았다. 증인이 말하는 국가란 이 나라 정권을 강제로 찬탈한 일부 군인들, 그 사람들 아니냐?"라고 일갈한다. 또한 차경감을 가리켜 "애국자가 아니라 죄 없고 선량한 국가를 병들게 하는 버러지고 군사 정권의 하수인일 뿐"이라며 "진실을 이야기하는 것이 진짜 애국이다"라며 차경감과 그 배후에 있는 독재 정권에 대해 규탄한다. 그럼에도 불구하고 진우는 2년 후 가석방을 조건으로 3년의 징역형을 선고받는다.

이처럼 송우석에게 국가란 곧 국민이며 국민이 곧 국가이며 이 신념은 그를 민주투사로 다시 태어나게 한다. 1987년 민주화 시위에 앞장선 그는 국민의 권리가 현실에서 무시당하면 누가 이들을 보호할 것인지에 대해 "시민의 기본적 권리조차 옹호할 아무런 법률적 방법이 없는 이러한 상황에서 맨 앞에 서야 진짜 법조인"이라고 외치며 변호사로서의 사명의식을 피력한다.

영화는 "이 날 법정에는 부산지역 변호사 142명 중 99명이 출석했다"라는 자막과 함께 이 사건으로 피고인으로 법정에 서게 된 송우석을 변호하기 위해 출석한 변호인단 명단을 판사가 한 명 한 명씩 호명하는 장면으로 끝난다.

30년 이상 걸려 받아 낸 무죄판결

실제 부림 사건의 관련자들은 부당하게 5-7년형을 선고 받았다. 그리고 1983년 이들 전원의 형집행이 정지된다. 피해자들은 1999년 이후 사법부에 부림 사건에 대한 재심을 청구했지만 기각되었고, 2006년 '5·18민주화운동 등에 관한 특별법'을 근거로 재항고 후, 2009년 대법원에서 계엄법 위반 등의 혐의에 대해 무죄선고를 받았다. 국가보안법과 반공법에 대해서는 재심 사유가 되지 않는다는 판결을 받아 일부승소했다. 그리고 2014년 부산지방법원에서 모든 혐의에 대해 무죄판결을 받았다.[29] 같은 해 대법원은 부림사건에 연루되어 국가보안법 위반 혐의 등으로 기소된 후 유죄 판결을 받은 5명에 대한 재심 사건 상고심에서 무죄를 선고한 원심을 확정했다.[30]

<변호인>은 한국전쟁을 역사적 축으로 분단 이후 한국 사회가 국가권력 모순 양상을 드러내며 힘겹게, 작위적으로 조형된 사회로 형성되었고, 폭력을 정당화하는 국가권력을 저지하기 위해서는 국민들의 광장에서의 연대가 필요함을 여실히 보여준다.

✺ deep into the film ✺

부마민주항쟁보상법 관련 헌법재판소 결정

청구인은 1979. 10. 18. 부마민주항쟁 관련자로 체포되어 즉결심판소에서 구류 20일 형을 선고받았다. 이후 부마항쟁보상법에 따라 설립된 '부마민주항쟁 진상규명 및 관련자 명예회복 심의위원회'는 2016. 2. 29. 청구인을 부마항쟁보상법 제2조 제2호 라목, 마목의 '관련자'로 심의·결정했다. 그러나 청구인은 2016. 5. 25. 부마항쟁보상법에서 보상금 및 생활지원금의 지급 대상을 30일 이상 구금된 자로 정하고 있는 부마항쟁보상법 제21조 제1항(이하 '이 사건 보상금 조항')과 제22조 제1항(이하 '이 사건 생활 지원금 조항')이 지원 대상을 관련자 중 일부로 제한해 이에 해당되지 않는 자신의 기본권을 침해한다고 주장하며 이 사건 헌법소원 심판을 청구했다.

청구인은 헌법재판소에 "심판대상 조항이 부마민주항쟁 관련자로 인정받은 사람 중 일정한 요건을 갖춘 자에 대해서만 보상금과 생활지원금을 지급하도록 함으로써 이러한 요건에 해당하지 않는 청구인은 관련자에 해당함에도 불구하고 별다른 보상을 받을 수 없다. 따라서 심판대상조항은 청구인의 평등권과 인간으로서의 존엄과 가치를 침해한다"고 주장했다.

2019년 헌법재판소는 '부마민주항쟁 관련자의 명예회복 및 보상등에 관한 법률'(이하 '부마민주항쟁법')[31] 제22조 제1항 제1호에 대해 합헌 결정을 내렸다.[32]

당해 결정에서 다수 의견은 "이 사건 보상금과 생활지원금 조항이 사회보장적 목적으로 지급되므로 입법자의 입법재량에 따라 지급될 뿐이어서 부마민주항쟁으로 사망하거나 행방불명이 된 관련자와 그 유족 등에게 보상금을 지급하고, 30일 이상 구금된 자 등에게는 생활지원금을 지급하는 것이 다른 관련자와 유족들과 비교해 현저히 불합리하게 차별지급되는 것이 아니다"라고 보았다.

반면 재판관 2인의 반대 의견은 "부마민주항쟁의 배경상 당시 구금일수가 짧을 수 밖에 없었던 상황을 고려하지 않고 '30일 이상'이라는 기준으로 생활지원금을 지급하는 것은 불합리하고, 입법자의 의사는 폭넓게 피해를 배상하고자 부마항쟁보상법을 제정했던 것이며, 관련자들에 대한 보상이 폭 넓게 이루어진다고 하더라도 예산이 크게 발생하는 것은 아니라는 점 등을 들어 심판대상 조항이 헌법에 위반된다"고 했다.

헌법재판소 다수 의견은 부마항쟁보상법에 따른 보상금 및 생활지원금은 관련자 또는 유족이 입은 피해가 국가의 위법한 행위 때문인지 적법한 행위 때문인지를 구체적으로 검토하지 않고, 간이하게 손해배상 또는 손실보상을 받을 수 있도록 한 특별절차에 의해 지급되는 금원이므로 전통적 의미의 국가배상청구권이 아니라 국가에 의해 비로서 인정되는 권리여서 수급권에 관한 구체적 사항을 입법자의 입법형성 영역에 속하는 재량사항으로 보고 있다.

그러나 "1979년 10월의 부마민주항쟁은 국민주권 회복을 위해 유신체제에 항거한 민주화운동임에도 불구하고 3·15의거나

4·19혁명, 5·18민주화 운동에 비해 과소평가되어 왔고, 부마 민주항쟁에 대한 진상규명과 관련자의 명예회복 및 보상 등을 통해 자랑스러운 한국 민주화운동의 정신을 계승하고 인권신장 및 국민화합에 이바지하려는 것"[33] 이라는 점에서 민주화보상법의 특별법으로 일컬어지므로 이 사건 심판대상 조항이 청구인의 헌법 제29조 제1항 국가배상청구권의 제한과 관련없다고 보기 어렵다. 또한 심판대상 조항에 근거한 배상은 과거 군사정부 시절 정치 및 사상범들에게 무자비하게 행해진 국가의 불법행위에 대해 제기된 과거사 국가배상소송과 비교해 보더라도 위법한 국가폭력을 전제로 하고 있다는 점에서도 유사하다.

따라서 심판대상조항에 근거한 배상은 헌법 제29조 제1항상 국가배상청구권적 성격이 인정되고, 이는 과거 일본의 강제동원 피해자들에게 지급되는 보상 내지 지원이 사회보장적 성격 내지 시혜적 차원의 급부와는 달리 국가배상적 성격을 지니고 있는 것과 동일하다.[34]

07

가혹한 복지수급 조건,
빈곤을 형벌화하다.

●

켄 로치 감독, <나, 다니엘 블레이크>(2016)

07

가혹한 복지수급 조건, 빈곤을 형벌화하다.

켄 로치 감독, 〈나, 다니엘 블레이크〉(2016)

영국 캐머런 총리 내각의 복지정책

윌리엄 베버리지(William Beveridge, 1879-1963)가 윈스턴 처칠(Winston Churchill, 1874-1965) 정부에 1942년 제출한 '베버리지 보고서 (Beveridge Report)'는 2차 세계대전 이후 전·후 영국의 내핍을 극복하고자 정부 주도의 사회정책을 제안한 것이다. 이는 국가가 국민의 복지를 위해 '요람에서 무덤(from the cradle to the grave)'까지 개입해야 함을 주장하며 연금, 건강보험, 교육, 주거개선, 완전고용 정책을 제시하고, 노동당의 사회정책 수립의 기반이 되었다. 이후 1997년 토니 블레어(Tony Blaire, 1953-) 노동당 총리가 집권하며 복지 급여 제공의 조건으로 노동의무를 부과하는 '노동연계복지(welfare to work)' 정책이 강화되었고, 2010년 데이비드 캐머런(David Cameron, 1966-)의 보수연립 내각 집권 이후에는 복지 지급요건이 더욱

〈나, 다니엘 블레이크〉는 다니엘의 질병수당과 구직수당 신청을 위한 힘든 여정을 보여주며, 가혹한 복지수급 혜택에서 소외된 계층의 삶이 더욱 고립화되고 있음을 담아냈다.

강화되었다. 특히 일할 능력이 있는 사람과 없는 사람을 구분한 후, 복지대상자들을 일터로 내몰았다. 그런데 당시 일할 능력을 판단하는 기준은 신체기능 중심이었고 판정을 내리는 주체가 이익을 남겨야 하는 민간 자본에 위탁되어 많은 수급 탈락자들이 나왔고, 이로 인한 사망자들이 속출했다.[35] 2016년 5월 칸 영화제(Festival de Cannes)에서 황금종려상(Palme d'Or)을 수상한 켄 로치 감독의 영화 <나, 다니엘 블레이크>는 2010년 영국의 총선에서 승리한 보수당 케머런 총리 내각의 보수적 복지정책 시행으로 인한 영국 사회의 부조리한 현실을 배경으로 주인공 다니엘(데이브 존스 분)이 경험하는 영국 사회의 복지 현실을 통해 복지혜택에서 소외된 계층의 삶이 더욱 고립화되고 있음을 여실히 드러낸다.

"나, 다니엘 블레이크는 개가 아니라 인간이다."

영화는 뉴캐슬(Newcastle)에서 평생을 목수로 살아왔던 59세 다니엘이 심장질환 때문에 더 이상 일을 해서는 안된다는 의사의 말에 따라 목수 일을 그만두고 장애인을 수급대상으로 하는 질병수당을 신청하는 장면으로 시작한다. 컴컴한 어둠 속으로 전화벨 소리가 들리면서 다니엘은 수화기를 들고 질병수당 자격을 심사하는 담당자와 이야기를 나눈다. 그런데 담당자가 다니엘에게 묻는 질문은 “양 팔을 벌려 혼자 모자를 쓸 수 있나요?”라는 등의 심장질환과는 전혀 무관한 내용들이다. 다니엘은 전문의료진이 아닌 ‘건강관리 전문가’에게 일하는데 아무런 지장이 없음을 진단받고, 결국 부적격 통지를 받는다. 이후 영화는 이러한 불합리한 결과로부터 다니엘의 복지혜택 수급을 위한 힘든 여정을 계속해서 보여준다.

다니엘은 우선 다시 질병수당을 재신청하기 위해 길고 지루하며 무의미한 행정절차를 반복하며 담당 공무원의 연락이 오기를 무작정 기다린다. 그 와중에 실직상태인 그는 구직수당을 받기 위해 정부의 고용지원 센터를 찾아간다. 그리고 그는 여기에서 아직 어린 아들 딜런(딜런 맥키어난 분)과 딸 데이지(브리아나 샤 분) 둘을 데리고 지원센터에 온 케이티(헤일리 스콰이어스 분)를 만난다. 케이티는 뉴캐슬로 새로 이사온 탓에 면담 예약시간에 늦었고, 이러한 사정을 담당 직원에게 설명했음에도 불구하고 다음 면담을 예약하고 다시 오라는 말을 듣는다. 이를 본 다니엘은 직원의 가차없는 태도에 분노하며 항변하지만, 그와 케이티 모두 쫓겨난다.

이렇게 두 사람의 인연이 시작되고, 다니엘은 경제적 궁핍에 전기세도 납부하지 못해 어둠 속에서 아이들을 키우는 케이티의 집을 방문해 그들이 좀 더 나은 환경에서 거주하도록 집을 고쳐주고, 일하러 나간 케이티를 대신해 아이들도 돌보아주며 따뜻

한 이웃이 된다. 그리고 케이티와 아이들을 데리고 그 지역의 저소득층을 위한 무료 식료품 센터(center)인 '푸드 뱅크(food bank)'를 찾아가 그들이 식료품을 받을 수 있도록 도와준다. 그런데 거기에서 케이티는 무료로 제공해주는 식료품들을 가방에 담던 중 배고픔으로 허겁지겁 통조림 캔(can)을 따 그 자리에서 마구잡이로 음식을 입 안에 넣는다.

그러던 어느 날 경제적 상황이 점점 더 어려워진 케이티는 슈퍼마켓에서 여성용 생리물품을 훔친다. 점주가 케이티의 취약한 처지를 알고 신고하지 않았지만, 케이티는 점포의 남자 점원에게서 성매매 알선처 전화번호가 적힌 쪽지를 건네받는다. 그리고 데이지가 밑창이 떨어진 낡은 신발과 푸드뱅크에서의 케이티의 모습으로 학교 친구들로부터 놀림을 당하는 것을 알고 쪽지에 적힌 전화번호로 연락한다. 케이티가 우연히 떨어뜨린 그 쪽지를 발견한 다니엘은 어떤 곳인지를 알아차리고, 그녀를 찾아간다. 그 곳에서 다니엘을 마주한 케이티는 수치스러움과 당혹감으로 울음을 터뜨린다.

한편 팔 다리를 모두 움직일 수 있다는 이유로 질병수당 수급자에 해당하지 않는다는 판정을 받은 다니엘은 구직수당 신청[36] 을 위해 '이력서 작성법 특강'을 신청한다. 이 강의를 수강하지 않으면 제재를 받기 때문이다. 그는 세미나에 참석 후 구직활동을 시작한다. 그러나 실제로 취업하려는 것이 아니라, 일자리를 찾으려고 노력했다는 증명이 필요했기 때문이다. 그런데 그의 이력서를 보고 채용하려던 고용주에게 다니엘은 자신이 질병으로 일할 수 없는 상황임을 알리자 고용주는 수당을 받으려 자신을 이용했다며 다니엘을 비난한다.

게다가 구직노력에 대한 증명 부족을 이유로 구직수당 신청도 거부당한 그에게 담당공무원은 생계수당을 신청하도록 종용한다. 이에 다니엘은 고용지원센터를 나서면서 그 건물 외벽에 "나, 다니엘 블레이크, 개가 아니라 인간이다"라는 문구를 적어 자신의 자존감까지 무너뜨리게 하는 현 정부의 복지정책에 항의한다. 이 일로 다니엘은 경찰서에 가게 되지만 초범이라는 이유로 훈방된다.

그 후 지칠대로 지친 다니엘은 집에서 두문불출하지만, 케이티의 딸 데이지가 도움의 손길을 내밀고, 이어진 케이티의 설득과 도움으로 자신의 질병수당 신청에 대한 거부통지에 대해 항고를 준비한다. 그 항고 심사일에 다니엘과 케이티는 함께 복지사를 만나고, 그 복지사는 다니엘이 이길 것을 확신한다. 이에 희망에 찬 다니엘은 심사관을 만나기 전 긴장을 풀기 위해 화장실에 들러 세수하는데, 그 순간 그는 갑자기 쓰러지고 그 자리에서 심장마비로 사망한다. 다니엘의 장례식에 참석한 케이티는 그가 직접 수기로 작성한 질병수당 신청 거부처분에 대한 항고이유서를 읽으며 추도사를 대신하는 장면으로 영화는 끝난다.

여기에는 다니엘이 정부가 요구하는 복지정책의 수급자가 되고자 한 노력들이 다니엘의 지나온 삶 전체를 얼마나 부정하고 처참하게 만들었는지를 토로하며, 가혹한 복지수급의 현실 속에서 부정당한 자신이 그 무엇보다도 존중받아야 할 인간임이 다음과 같이 적혀 있다.

"나는 의뢰인도 고객도 사용자도 아닙니다.
나는 게으름뱅이도 사기꾼도 거지도 도둑도 아닙니다.
나는 보험번호 숫자도 화면 속 점도 아닙니다.
나는 묵묵히 책임을 다해 떳떳하게 살았습니다.
나는 굽실대지 않았고 이웃이 어려우면 그들을 도왔습니다.
자선을 구걸하거나 기대지도 않았습니다.
나는 다니엘 블레이크, 개가 아니라 인간입니다.
이에 나는 내 권리를 요구합니다.
인간적 존중을 요구합니다.
나, 다니엘 블레이크는 한 사람의 시민
그 이상도 이하도 아닙니다."

인간 존엄성을 해하는 한국의 조건부 사회보장제도

<나, 다니엘 블레이크> 개봉 당시 켄 로치 감독은 한국 관객들에게 보내는 편지에서 "한 편의 영화로 우리가 서로 이어질 수 있음을 발견하게 되는 것은 언제나 놀랍다"고 하면서 "영국 정부가 가난하고 힘 없는 사람들을 희생시키며 힘 있고 부유한 사람들의 이익을 대변하고 있고, 많은 나라에서 동일한 현상을 맞닥뜨리고 있는 사람들을 알고 있으며 정도의 차이는 있지만 근본적으로 같은 이야기들"이라고 했다.[37]

켄 로치의 말처럼 한국에서도 2019년 이른바 '한국판 다니엘 블레이크'로 불리는 사안에 대한 1심 판결이 선고되었다.

고(故) 최인기씨는 좌석버스 운전 기사로 일해 왔는데, 대동맥류 진단을 받은 후 2회에 걸쳐 심장 대동맥류와 기형으로 인한 인공혈관 치환수술을 받았다. 이후 생계중단과 의료비 지출로 인한 경제적 어려움 때문에 2005년 기초생활수급자가 되었다. 그는 질병으로 '근로능력 없는 수급자'로 판정되어 별다른 조건 없이 생계급여를 수급해 왔으나, 2013년 11월 국민연금공단의 근로능력평가에 따라 2014년 1월, 보장기관인 수원시로부터 '근로 능력 있음' 판정을 받았다. 이에 따라 그는 자활에 필요한 사업에 참가할 것을 조건으로 생계급여를 지급받는 '조건부 수급자'로 분류되었고, 고용센터에서 운영하는 취업지원사업에 참여하지 않을 경우, 급여가 삭감 또는 중지될 수 있다는 안내를 받았다. 결국 그는 지역 고용센터에서 교육훈련을 받았고, 2014년 2월 말부터 아파트 지하주차장 청소부로 취업해 일했다. 그러나 그는 이후 건강상태가 급격히 악화되었고, 결국 일하던 도중 쓰러져 혼수상태에 빠진 후 2014년 8월 사망했다.

이에 고(故) 최인기 씨의 유족이 공익법률센터의 조력을 받아 2017년 8월 수원시와 국민연금공단을 상대로 국가배상소송을 제기해[38] 승소했다.

대상판결은 1심[39]에서 국민연금공단의 위법한 근로능력 평가와 판정으로 인해 고(故) 최인기 씨가 무리하게 취업해 사망했음을 인정했고, 이에 대한 부진정연대채무로서 수원시의 손해배상 책임도 긍정했다. 이러한 1심 판결에 대해 수원시와 국민연금공단 모두 항소를 제기했으나, 항소심에서는 '기각' 판결을 선고함으로써 1 심법원의 결론을 그대로 유지했다. [40]

이처럼 해당 판결은 국민기초생활 보장법(이하 '기초생활보장법') 상 조건부 생계급여 수급자에 대한 잘못된 근로능력평가의 위법성과 이에 대한 국가의 손해배상책임을 인정한 최초의 판결로써 그 의의가 있지만, '최후의 안전망'으로서 기초생활보장제도가 제대로 작동하지 않을 경우 수급자의 인간의 존엄성 뿐만 아니라 생명까지 잃을 수 있다는 점도 보여준다.

2021년 기준 한국의 국내총생산(Gross Domestic Product) 대비 공공 사회 복지지출 비율은 14.8%로 이는 경제협력개발기구(Organization for Economic Co-operation and Development)회원국 중 최하위권에 속하는 수치이다.[41]

이러한 한국에서 현행 기초생활보장법은 근로능력이 있는 수급자에 대해 자활사업 참여를 조건으로 생계급여를 지급하는 조건부 수급제도[42]를 시행하며, 조건부 수급자가 자활사업에 정당한 이유 없이 참여하지 않을 경우, 생계급여의 전부 또는 일부를 중지한다. 또한 근로능력 유무를 판정하기 위한 근로능력 평가를 국민연금공단에 위탁·실시한다(시행령 제7조 제2항).[43]

한편 그동안 자활조성이라는 입법목적, 고용연계를 중심으로 하는 정책, 일할 수 있음에도 불구하고 일하지 않는 것은 게으른 것이라는 전통적 인식을 바탕으로 정당화되어 온 조건부 수급제도와 근로능력평가는 수급자의 자율성을 손상시키고, 빈곤한 이들은 책임감 있는 의사결정을 할 수 없다는 고정관념을 심화시켜 왔다. 또한 복지수급 자격이 있는 사람들에게 수급 자격 증명을 요구하거나 과도한 양의 서류 제출과 수급과 직접 관련없는 개인 정보 공개 요청을 함으로써 수급자의 개인적 독립성을 훼손하고, 사생활 및 가족생활의 권리를 심각하게 저해한다. 그 결과 수급자를 학대와 괴롭힘에 취약하게 만들고 공동체의 연대를 약화시킨다.[44]

이처럼 그 사회 구성원의 삶을 담보로 하는 조건부 사회보장 제도는 수급자의 인간의 존엄성을 침해하며, 실직을 무능력한 개인의 탓으로 돌리고 구직을 위해 노력하는 자에게만 복지혜택을 주며 빈곤을 형벌화(penalize)하는 문제점이 있다.

2008년 세계적 금융위기를 경험했음에도 불구하고 여전히 시장이 지배하는 신자유주의 시대를 살고 있는 우리는 관료주의와 국가복지시스템의 부조리에 굴복하지 않고 이에 저항하며 사랑으로 이웃을 돌보며 인간의 존엄성을 잃지 않았던 다니엘을 기억하고, 시대와 공간을 초월해 어느 사회이든지 가장 우선시되어야 하는 것은 바로 '인간 존엄성'의 가치임을 잊지 말아야 한다.

● deep into the film ●

한국판 '나, 다니엘 블레이크' 사건

1. 사실관계

망인인 고(故) 최인기씨는 2005년 흉복부대동맥류 진단을 받은 후, 대동맥을 인공혈관으로 교체하는 수술을 두 차례 받았다. 이후 망인은 2006년부터 2013년 10월경까지 근로능력이 없는 일반 수급자로서 수원시에 의해 기초생활보장법상 소정 급여를 조건없이 수급해 왔다.

2012. 8. 12.부터 개정된 기초생활보장법 시행령이 시행됨에 따라 기존에는 일선 보장기관에서 담당하던 근로능력 평가를 국민연금공단에 의뢰했고, 수원시는 2013년 10월경 근로능력 판정을 위해 근로능력평가용 진단서와 최근 2개월 간 진료기록 부사본을 제출할 것을 통보했다. 망인은 인공혈관 교체 수술을 두 차례 받았던 병원에서 필요한 서류를 발급받아 수원시에 제출했다.

수원시는 2013. 10. 10. 국민연금공단에 망인에 대한 근로능력 평가를 의뢰했고, 국민연금공단은 2013. 11. 5. "망인에 대한 의학적 평가 결과는 1단계, 활동능력평가는 40점으로 근로능력 있음으로 평가된다"고 수원시에 통보했다. 수원시는 2013. 11. 7. 망인에게 서면으로 '근로능력 있음 판정'을 통보하면서, 근로 능력 평가 결과서에는 그 판정의 근거로 시행령 제7조와 고시 제11조만 기재하고 세부적 근로능력 평가결과(단계 및 점수)는 제시하지 않았다. 망인은 수원시의 근로능력 있음 판정에 대해 재판정 신청이나 행정소송 등의 불복신청을 하지 않았다.

수원시는 근로능력 있음 판정을 이유로 2013. 11. 20. 망인에 대해 622,080원의 추정소득을 부과, 망인에 대한 생계급여를 832,220원에서 330,500원으로, 주거급여를 199,650원에서 79,290원으로 감액했다. 이어 수원시는 2013. 11. 28. 망인을 고용노동부 산하 수원고용센터가 주관하는 취업성공패키지 자활사업에 참가대상자로 의뢰했고, 망인은 자활사업의 사전 단계로 10회 상담을 거친 후, 2014. 2. 17. 근로자 공급업체에 취업해 지하주차장 청소 미화원으로 일하기 시작했다.

망인은 2014년 3월경부터 발열, 오한 등의 증세를 겪다가 수술을 받았던 이식혈관이 감염되었다는 진단을 받고 입원치료를 받던 중 2014. 8. 28. 사망했다. 이에 망인의 처(妻)인 원고는 망인의 사망 3주기인 2017. 8. 28. 수원시와 국민연금공단을 상대로 망인의 사망으로 인한 원고 고유의 정신적 손해배상을 구하는 이 사건 소를 제기했다.

2. 사안의 쟁점

첫째, 망인의 근로능력평가에 대한 피고 국민연금공단의 위법성 및 과실이 인정되는지 여부, 둘째, 망인의 근로능력 있음 판정에 대해 피고 수원시의 위법성 및 과실이 인정되는지 여부, 셋째, 피고들의 위법성이 인정된다고 하더라도 이러한 위법행위와 망인의 사망 사이에 인과관계를 인정할 수 있는지 여부이다.

3. 판결 요지

대상판결[45]은 첫째, "망인이 제출한 근로능력 평가용 진단서의 기재내용 등에 비추어 망인의 의학적 평가 결과는 1단계가 아니라 2단계에 해당하는 것으로 보아야 함에도 불구하고, 국민연금공단이 이를 2단계에 해당하는 것으로 보아 결과적으로 망인이 근로능력 있음 판정을 받은 것은 위법하고, 이에 대한 국민연금공단의 과실도 인정된다"고 보았다.

둘째, "국민연금공단의 근로능력 평가결과가 위법한 이상 이에 기초한 수원시의 근로능력 있음 판정 역시 위법하지만, 근로능력 판정은 국민연금공단의 근로능력 평가 결과에 전적으로 의존해 이루어지므로 국민연금공단의 근로능력 평가 결과가 외관상 명백히 잘못되었다고 볼 만한 특별한 사정이 없는 한, 수원시에 과실이 있다고 보기 어렵다"고 하면서, 망인의 근로능력 있음 판정에 대한 수원시의 독자적 위법행위 및 과실을 부정했다. 또한 "수원시가 망인에게 '근로능력 있음' 판정을 서면으로 통보하면서 판정의 근거 및 이유로 세부적인 근로능력 평가 결과를 제시하지 않고, 그 근거조항인 '시행령 제7조, 고시 제11조'만을 기재했음에도 망인이 이에 불복해 행정구제절차로 나아가는데 별다른 지장이 없었던 것으로 보아, 이 사건 판정의 근거와 이유 제시가 위법에 이를 정도로 미흡하지 않다"고 보았다.

셋째, "피고 국민연금공단의 잘못된 근로능력평가로 인해 근로 능력없는 망인이 취업하게 되었고, 이로 인해 과로한 결과 면역 상태에 부정적 영향을 받아 이식혈관 부위가 감염되어 사망에 이르렀다"고 보아 피고 국민연금공단의 근로능력 평가 결과와 망인의 사망 사이의 상당인과관계를 인정했다.

4. 판결의 의의

대상판결은 기초생활보장법상 조건부 생계급여 수급자에 대한 잘못된 근로능력평가의 위법성과 이에 대한 국가의 책임을 인정한 판결로서 의의가 있다. 그러나 2006년부터 망인의 사례를 관리해오면서 망인의 수술여부 및 건강상태를 잘 알고 있었을 수원시의 독자적 과실을 부정한 점은 타당하지 않다.

결론적으로 대상판결은 국민연금공단의 손해배상책임을 인정하면서도 수원시의 독자적 손해배상책임을 부정하고, 수원시로부터 근로능력평가라는 공무를 위탁받은 공무수탁사인인 국민연금공단의 손해배상책임을 인정해 이에 대한 부진정연대채무로서 수원시의 손해배상책임을 인정했다.

또한 보건복지부는 대상판결의 선고 이후 2020. 1. 13. '근로능력평가의 기준 등에 관한 고시'를 개정해 활동능력 평가에서 신체능력 항목의 배점을 상향하고 항목을 개선했다. 이는 망인과 같이 신체능력이 떨어짐에도 인지능력이 높은 거동불편자가 '근로능력 있음'으로 평가될 소지를 차단했다는 점에서 긍정적으로 볼 수 있다.

한편 대상판결에 대해 피고 수원시와 피고 국민연금공단 모두 항소를 제기했으나, 항소심 법원은 피고들의 항소가 모두 이유 없음을 이유로 기각했다.[46]

08

부재중 리키,
인간 존엄성에 대한 숙고를 요청하다.

●

켄 로치 감독, <미안해요, 리키>(2019)

08

부재중 리키, 인간 존엄성에 대한 숙고를 요청하다.

켄 로치 감독, 〈미안해요, 리키〉(2019)[47]

플랫폼 노동자의 증가

현대 자본주의 사회는 4차 산업혁명으로 '플랫폼(platform)' 노동자들의 수가 점증하고 있다. 첨단 디지털(digital) 기술의 발달로 차량 공유 서비스인 우버(Uber)나 숙박 공유 서비스인 에어비앤비(Airbnb), 온라인 장터를 운영하는 아마존(Amazon)에서 음식 배달 앱(App)인 '배달의 민족'이나 '요기요' 등 마치 정거장을 뜻하는 플랫 폼처럼 사람이나 물건, 그리고 서비스 등이 오고 가는 온라인(on-line) 플랫폼을 운영하는 기업의 수가 늘어났기 때문이다. 특히 2019년 팬데믹(pandemic) 이후 플랫폼 종사자 규모는 2021년 기 준 취업자의 8.5%인 220만 명에 이른다고 한다.[48]

한편 이른바 알고리즘(algorithm)에 의한 경영 방식을 통해 이루어지는 플랫폼 노동은 '긱 이코노미(gig economy)'[49]가 부상하던 초창기 일하는 사람들의 모습이 비교적 자유로워 보이고 이를 통해 겸업이 가능한 새로운 기회로 홍보되었다. 그러나 이와는 정반대로 플랫폼 노동자들은 현행 근로기준법상 근로자로 인정되지 않는 특수형태근로종사자 내지 노무 제공자[50]로 수행한 노동량에 따라 수입이 사후적으로 결정되므로 불안정하고 이에 따른 과로사의 위험까지 수반된다. 또한 택배산업 초기 택배회사와 근로계약을 체결하고 정해진 월급을 받으면서 임금 노동자로 일했던 택배기사들이 1997년 외환위기 이후 배송 건당 수수료를 받는 개인사업자 형태로 고용관계가 전환되었다. 그 결과 기사들은 근로기준법의 보호를 받지 못하고, 주당 60시간 가량의 장시간 노동이나 야간노동에 시달리며 삶의 질이 점점 저하되는 구조 속에 자신들의 생명을 잠식당하게 되었다. 그리고 실제 하루 12-13시간 근무하며 250여 개의 물품을 배송하는 일이 다반사인 한국의 택배기사들이 과로로 인해 쓰러져 사망하는 일도 발생한다.[51]

“사는 게 이렇게 힘든 줄 몰랐어”

영국의 켄 로치 감독은 영화〈미안해요, 리키〉를 통해 이처럼 과도한 플랫폼 노동에 시달리며 이를 극복하려는 노력이 또 다른 새로운 소외를 가져오는 지점을 포착하며, 경쟁의 효율성과 경제적 생산성이 공동선의 중심이 되어버린 신자유주의 자본주의 시스템의 폐해를 폭로한다.

〈미안해요, 리키〉는 전 세계적으로 확산되는 플랫폼 노동자의 힘겨운 현실을 생생하게 담아냈다.

영화는 택배회사 PDF(Parcels Delivered Fast)의 기사를 뽑는 면접 장소에서 회사 관리자인 멀로니(로스 브루스터 분) 와 리키(크리스 히친 분)가 나누는 대화로 시작된다. 리키는 멀로니에게 자신이 건축회사에서 일하다 실직한 후 10여 년간 건설현장, 배관, 목공 등 수많은 일을 했다고 말하면서 그러나 자존심 때문에 실업수당은 받지 않았다고 강조한다. 멀로니는 리키에게 개인사업자로서 계약을 체결하자고 제안한다. 그러나 이는 이른바 '긱 이코노미'의 하나의 예로 택배노동에 필요한 차량도 개인이 준비해야 하고, 만약 손해가 생기면 노동자 자신이 직접 책임져야 한다. 반면 개인사업자임에도 불구하고 자신의 편의에 따라 일하거나 쉴 수 있는 시스템은 전혀 보장되지 않는다.

한편 리키의 아내인 애비(데비 허니우드 분)는 노약자들을 방문해서 돌보는 요양보호사이다. 애비는 선량한 사람으로 자신이 돌보는 환자들을 위해 진심을 다해 일한다. 그러나 '제로아워(zero-hour)' 계약[52]을 체결한 탓에 시간 외 수당을 전혀 받지 못한다.

리키는 이러한 아내의 출퇴근용 소형차를 팔아 벤(Van)을 계약금 1,000파운드에 월 할부금 400파운드에 마련한다. 그리고 그는 벤의 엄청난 대여금으로 인해 매일 14시간씩 주 6일을 일할 수밖에 없는 상황에 처한다. 그러나 고등학생 아들인 세브(리스 스톤 분)와 아직 어린 딸 라이자(케이티 프록터 분)를 둔 가장으로서 가족들과 안정된 생활을 하고자 개인사업자로 일하며 1년 동안 경험을 쌓아 사업을 확장할 수 있으리라는 기대에 부풀어 택배회사로 나간다. 첫 출근 일에 리키는 "이 바코드(bar code) 기계를 행복하게 하라"는 멀로니로부터 '스캐너(scanner)'를 지급받지만, 이 배송 추적 기계는 실제로는 리키의 부재를 2분마다 알리며 그를 감시하는 시스템이다.

영화는 리키와 애비가 고되게 일하는 환경, 광고판에 낙서하고 더 나아가 물건을 훔치다 경찰에 체포되어 정학을 당하는 세브, 집에서 홀로 그들이 빨리 오기를 기다리는 라이자의 모습을 통해 리키의 삶이 그의 기대와는 전혀 다른 일상으로 치달으며, 화목했던 가정이 점점 균열이 생기는 과정을 번갈아 보여준다.

반면 라이자가 리키의 택배일을 돕고, 심야에 호출된 애비를 벤으로 데려다주면서 온 가족이 차 안에서 즐겁게 노래하는 모습을 통해 회복의 기미도 보이지만, 어느 날 화장실에 갈 시간조차 없었던 리키가 벤 문을 열고 패트병에 볼 일을 해결하는 사이 일군의 폭도가 그를 폭행한 후, 배송물품을 훔쳐간다. 응급실에 간신히 도착한 리키는 그곳에서 파손된 스캐너와 도둑맞은 배송물품 값을 배상하라며 다그치는 멀로니의 전화를 받는다. 애비는 이 전화에 그만 분통을 터뜨리며 리키에게 이 일을 당장 그만두라고 하지만, 리키는 그다음 날 새벽 퉁퉁 부은 얼굴로 벤에 오른다. 이 모습을 본 가족들이 차를 가로막지만, 그는 다친 눈도 제대로 뜨지 못한 채 운전하며 택배회사로 출근하는 모습으로 영화는 끝난다.

이제 영화는 "사는 게 이렇게 힘든 줄 몰랐어"라는 리키와 "매일 밤마다 젖은 모래 속에 빠져드는 꿈을 꾼다"는 애비로 인해 먹먹해진 우리에게 현대 자본주의 시스템하에서 얼마나 더 많은 인간의 존엄성이 노동력으로 소모되고 버려져야 되는지에 대한 물음을 제기하며, 우리가 놓친(missed)[53] 소중한 것에 대해 되돌아보게 한다. 또한 켄 로치가 현대 경제 체제에 대해 울린 경종 소리를 들으며 자본주의 시장의 무한한 자유가 경제 활동의 중심에서 인간다운 삶을 어떻게 부정하며 말살하는지를 본다.

노동자 아닌 노동자, 노동자를 근로자로 인정하지 않는 노동입법

<미안해요 리키> 개봉 이후, 2021년 2월 19일 런던에서 일하는 우버 기사들이 노동법, 최저임금법에 따른 최저임금, 유급휴가 등을 요구하며 소송을 제기한 사안에 대해 영국 대법원은 우버 기사들을 노동법의 적용을 받는 '노동자(worker)'로 처음으로 인정하는 판결을 내렸다.[54]

한편 한국에서는 씨제이(CJ)대한통운(이하 'CJ')이 중앙노동위원회 위원장을 상대로 제기한 부당노동행위구제 재심판정 취소소송의 항소심에서 2024년 1월 24일 서울고등법원이 CJ의 항소를 기각하며, CJ의 단체교섭 거부행위가 부당노동행위라는 중앙노동위원회의 결정을 적법하다고 본 1심 판결[55]이 정당하다고 판시했다.[56] 이는 한국 법원에서 간접고용 노동자에 대한 원청사용자의 교섭 불응을 부당노동행위로 인정한 최초의 판결로서 그

의의가 있지만, 여전히 택배기사는 근로기준법상 노동자에 해당하지 않는다.[57] 마찬가지로 만약 한국에서 우버 기사에게 유급휴가나 최저임금법상 권리가 인정되려면 근로기준법상 근로자여야 한다는 의미이다. 현행 근로기준법은 근로자에게만 유급연차휴가권(제60조) 및 최저임금법상 권리를 부여(제2조)하기 때문이다.

한편 영국과 우리나라는 '근로자성' 인정 여부에 대한 판단기준이 다르지만, 우버 기사와 타다 기사 양자는 그 업무 형태, 관리 체계, 플랫폼 시스템이 상당히 유사하다. 그런데 최근 서울행정법원은 '타다 기사'가 '쏘카'의 근로자인지 여부가 문제된 사안에서 이를 인정한 중앙노동위원회의 결정과 달리 부정했고,[58] 항소심에서는 다시 인정했다.[59]

2013년 11월 26일 프란치스코 교황은 사도적 권고 『복음의 기쁨』에서 "소수의 소득이 기하급수적으로 늘어나는 동안 대다수가 이 행복한 소수가 누리는 번영과는 더욱 거리가 멀어지고 있다. 이러한 불균형은 시장의 절대 자율과 금융 투기를 옹호하는 이념의 산물이다. 이 이념은 공동선을 지키는 역할을 맡은 국가의 통제권을 배척한다"(56항)며, 금융자본주의를 "새로운 우상"으로 지목하고, 국가권력으로도 규제가 어려운 경제권력을 "눈에 보이지 않은 채 가상의 존재로 군림하는 경제적 폭정"이라고 비판했다. 이는 시장과 금융 투기의 절대적 자율성을 고수하는 현대 자본주의 경제 체제가 다수의 사람을 오히려 번영으로부터 배제하며, 사고팔아서는 안 될 인간을 상품으로까지 전락시키는 불평등한 경제 시스템이라고 지적하며 인간 존엄성에 대한 숙고를 요청한 것이다.

"우리는 타인의 고통을 모를 때 가장 잔인하고 무감각해진다"[60]고 한다. 물론 타인의 고통을 이해하는 데에는 한계가 있다. 그러나 그 한계를 무시하면 타인들은 우리가 선호하는 상품을 단 한 번의 클릭(click)으로 골라 담는 장바구니처럼 일종의 도구로 변해버린다. 이에 더 나아가 타인의 고통에 아픔을 느끼지 못하는 사회는 위험으로부터도 안전할 수 없다.

이제 더 이상은 '리키들'을 '근로자'로 인정하지 않는 노동입법으로 인해 이들의 '부재중'이 '죽음'이 되지 않기를 바란다.

● deep into the film ●

한국판 '리키들' 사건

서울행정법원 2022. 7. 8. 선고 2020구합 70229 판결
(타다 드라이버가 근로기준법상 근로자에
해당하지 않는다고 본 판례)

1. 사실관계 및 사안의 쟁점

원고(쏘카)는 자회사(브이씨엔씨)가 운영하는 타다 앱을 통해 자동차 렌트 및 운전기사 알선 사업을 하는 플랫폼 사업자로 사업수행을 위해 용역회사와 운전용역계약을 체결했는데, 이에 의하면 쏘카가 타다 서비스 이용자에게 차량을 렌트할 때 용역회사와 '드라이버 프리랜서 계약'을 체결한 운전기사(이하 '타다 드라이버')가 해당 차량을 운행하도록 되어 있다.

타다 드라이버인 참가인과 프리랜서 계약을 체결한 용역회사는 2019. 7. 12. 프리랜서 드라이버들의 카카오톡 단체 대화방에 2019. 7. 15. 자로 인원감축을 한다는 메시지를 게시했는데(이하 '이 사건 인원감축 통보'), 해당 메시지의 '향후 배차될 타다 드라이버 22명의 명단'에는 참가인이 포함되어 있지 않았다. 이에 참가인은 브이씨엔씨를 상대로 2019. 10. 7. 서울지방노동위원회에 부당해고 구제신청을 하고, 2019. 12. 3. 당사자 변경신청을 통해 원고와 용역회사를 피신청인으로 추가했다.

서울지방노동위원회는 참가인이 근로기준법상 근로자에 해당하지 않는다는 이유로 이러한 구제신청을 각하했다.

참가인은 이에 불복해 재심을 신청했고, 중앙노동위원회는 '참가인은 근로기준법상 근로자에 해당하고 원고는 참가인을 실질적으로 지휘·감독한 사용자에 해당하며 이 사건 인원감축 통보는 해고에 해당하고 근로기준법 제27조에서 정한 서면통지의무를 위반했으므로 부당해고에 해당한다'는 이유로 이 사건 구제신청 중 원고에 대한 부분을 인용했다.

이 사건에서는 원고가 참가인에 대해 인원감축 통보를 한 것과 관련해 참가인이 근로기준법상 원고의 근로자에 해당하는지가 문제된 사안이다.

2. 판결 요지

이에 대해 서울행정법원은 다음의 14가지 사항을 이유로 참가인이 근로기준법상 근로자에 해당하지 않는다고 판시했다. 즉 "(i) 원고와 참가인 사이에는 아무런 직접적 계약관계가 없는 점, (ii) 원고가 참가인의 모집에 관여했다고 보기 어려운 점, (iii) 업무의 내용이 원고에 의해 일방적으로 결정되었다고 볼 수 없고, 참가인에게 배차를 수락할지 여부에 대한 결정권이 있었던 점, (iv) 참가인에게 원고의 취업규칙이나 복무규정이 적용되지 않은 점, (v) 원고가 사용자로서 지휘·감독을 했다고 보기 어려운 점, (vi) 원고가 근무시간과 근무장소를 지정했다고 보기 어려운 점, (vii) 차량 및 비품을 원고가 소유하고, 참가인이 제3자에게 업무대행을 시키는 것이 불가능하다는 등의 이유는 원고 사업의 특수성에서 기인하므로 근로자성의 인정 근거로 삼을 수 없고, 교통법규 위반이나 사고에 따른 책임을 참가인 스스로 부담해 어느 정도 독립사업자성을 지니고 있는 점, (viii) 참가인이 친절도 등 노력 여하에 따라 추가적 임금원으로서 팁(tip)을 받을 여지가 있었던 점, (ix) 참가인이 운전용역의 수행 횟수 등이 아닌 용역 제공 시간에 따라 대가를 지급받아 근로 자체의 대가성을 지니긴 했으나, 이는 건수에 비례해 수수료를 지급할 경우 과속운전, 난폭운전 등으로 원고가 목표로 하는 서비스의 품질이 저하될 것으로 판단했기 때문인 점, (x) 근로소득세를 원천징수하지 않았고, 사회보장 적용에 관해 개인사업자로 취급된 점, (xi) 근로제공 여부가 강제되지 않았고 겸업이 금지되지 않아 원고에 대한 전속성이 있었다고 보기 어려운 점, (xii) 원고가 활용한 파견 드라이버의 근무형태를 고려할 때, 참가인의 근무형태와 상당한 차이가 존재하는 점, (xiii) 참가인 스스로 '프리랜서(freelancer)'라고 언급하며 근로자로서 인식했다고 보기 어려운 점, (xiv) 별도의 입법을 통한 해결은 별론으로 하더라도 현행법의 해석론만으로 사용종속관계가 인정되지 않음에도 불구하고 근로기준법상 해고의 제한 법리를 적용하기 곤란하다"는 점을 근거로 들었다.

서울고등법원 2023. 12. 21. 선고 2022누 56601 판결 (타다 드라이버가 근로기준법상 근로자에 해당한다고 본 판례)

1. 사실관계 및 사안의 쟁점

해당 사안의 1심 사건인 서울행정법원 2022. 7. 8. 선고 2020구합 70229 판결에서와 동일하다.

2. 판결 요지

항소심은 제1심 판결과 다르게 "참가인이 원고와 종속적인 관계에서 근로를 제공한 근로기준법상 근로자에 해당한다"라고 판시했다. 즉 "참가인의 사용자는 타다 서비스를 운영하면서 실질적으로 참가인을 지휘·감독하며 참가인으로부터 근로를 제공받아 온 '원고'라고 보는 것이 타당하다"라고 보았다. [61] 또한 "원고는 타다 서비스 사업의 주체로서 그 사업운영에 필요한 참가인과 같은 프리랜서 드라이버를 용역회사로부터 공급받은 후, 브이씨엔씨를 통해 참가인의 업무를 지휘·감독하고 근로조건을 정함으로써 참가인으로부터 종속적인 관계에서 근로를 제공받았으므로 원고가 참가인의 실질적 사용자라고 보아야 한다"라고 판시했다.[62]

결론적으로 대상판결은 그에 따라 "이 사건 인원감축 통보는 해고에 해당하고, 카카오톡 단체 대화방에 게시해 공지한 것만으로는 근로기준법 제27조가 정한 해고사유와 해고시기의 서면통지에 해당한다고 볼 수 없으므로 이 사건 인원 감축 통보는 부당해고에 해당한다"고 판시했다.

3. 판결의 의의

대상 판결은 직접적 계약 관계 부존재를 이유로 원고에게 사용자 지위가 존재하지 않는다고 판단한 제1심판결과 다르게 참가인이 근로를 제공한 '타다 서비스'의 실질적 운영 주체를 따져 원고를 실질적 사용자로 인정함으로써 디지털 플랫폼을 이용한 지휘·감독 체계에서 고객의 수요에 따라 노무 제공을 하는 플랫폼 노동자의 근로기준법상 근로자성을 법원에서 인정한 최초의 판례이다.

09

아버지의 약속, 반도체 노동자의 산재보상에 좋은 파동이 되다.

●

김태윤 감독, <또 하나의 약속>(2013)

09

아버지의 약속, 반도체 노동자의 산재보상에 좋은 파동이 되다.

김태윤 감독, 〈또 하나의 약속〉(2013)[63]

사람이 아니라 반도체를 보호하기 위한 방진복

오늘날 대한민국은 첨단 과학기술 산업을 핵심 기제로 초고속 성장을 이루고 있다. 특히 1965년 페어차일드(Fairchild) 반도체나 모토로라(Motorola) 같은 외국 기업의 생산 기지 역할에서 출발했던 삼성전자는 1980년대 독자적 기술 경쟁력을 확보하면서 한국을 반도체 강국의 반열에 올려놓았다. 2009년 반도체 부분에서 거의 10조에 달하는 순이익을 가져오면서 경제 정책 담당자들은 삼성반도체를 한국경제의 지표로 삼고 있다.[64] 그리고 미세한 먼지 한 톨도 허락하지 않는다는 '클린룸(Clean Room)'과 머리에서 발끝까지 하얗게 둘러싼 방진복이 하나의 상징이 된 이러한 첨단기술 산업은 매연이나 오염물질을 배출하는 굴뚝을 없애고, 깨끗하고 안전한 환경과 건강한 노동공간을 만들어냈다는 평가를 받았다.

그러나 이러한 평가와는 달리 반도체 생산 공정에서 반도체 집적회로의 원재료로 사용되는 얇은 원판인 6인치 크기의 웨이퍼(Wafer) 하나를 생산하기 위해서는 9kg의 화학물질이 사용된다. 웨이퍼에 회로 디자인을 그려넣는 식각 과정(etching)이나 오염물질 제거를 위한 세정 과정에도 다량의 유기 용제(organic solvent)가 사용됨으로 인해 작업 환경에서 맹독성의 화학물질에 노출된 노동자들이 백혈병 같은 희귀질병으로 사망에 이르게 된다는 사실이 드러났다.[65] 게다가 첨단 과학기술산업의 작업환경으로 미화되었던 클린룸은 화학물질이 가장 집중적으로 사용되는 공간이며, 방진복도 노동자들의 피부나 땀으로부터 반도체 마이크로 칩을 보호하기 위한 장비라는 사실도 알려졌다. 그리고 2011년 6월 23일 이러한 삼성전자 반도체 공장에서 일하다 여러 유해 화학물질과 방사선에 지속적으로 노출되어 발생한 백혈병을 최초로 산업재해(이하 '산재')로 인정한 서울행정법원의 판결이 나왔다.[66] 당해 재판부는 판결문에서 "반도체 공장에서의 직업과 백혈병 발병과의 명확한 원인관계가 인정되지 않더라도 사업장에서 지속적으로 유해화학물질과 전이방사선에 직접 노출된 점이 인정되고 그러한 상태에서는 암 발병 가능성이 있다"고 설시(說示)했다.

대기업에 맞선 아버지의 외롭고 긴 싸움

2014년 개봉한 김태윤 감독의 〈또 하나의 약속〉은 이 해당 판결의 당사자로서 삼성전자 반도체 공장에서 일하다 백혈병에

〈또 하나의 약속〉은 산재로 왜 안타까운 죽음이 발생하는지 그리고 산재로 인정받는 것이 왜 그렇게 힘든지를 고(故) 황유미씨의 실화를 통해 담아냈다.

걸려 사망한 고(故) 황유미 씨의 실화를 토대로 만든 극영화이다. 영화 속 한윤미(박희정 분)는 속초에서 고등학교를 졸업한 후 부푼 희망을 안고 진성 반도체라는 회사에 취직한다. 개인택시를 모는 아버지 상구(박철민 분)는 딸 윤미가 대한민국에서 가장 좋은 회사에 입사했다고 기뻐한다. 그런데 그 딸이 진성에서 일한 지 20여 개월 만에 급성골수성 백혈병에 걸려 시름시름 앓다 결국 아버지가 운전하는 개인택시를 타고 병원으로 가던 중 23세의 나이에 숨을 거두고 만다. 윤미의 사망 이후 상구는 자신의 택시 뒷자리에서 죽어가던 딸과 딸의 억울한 죽음을 꼭 밝혀내겠다고 한 약속을 지키기 위해 진성을 상대로 법정 투쟁을 시작한다.

영화는 반도체 공장 노동자였던 윤미를 비롯한 수많은 노동자의 발병과 죽음을 산재로 인정하지 않으려는 진성에 맞서 상구가 힘겹게 투쟁을 벌이는 과정을 담아낸다. 그리고 이처럼 골리앗과 맞선 상구를 곁에서 지지하며 헌신하는 노무사(김규리 분)를 비롯해 '또 하나의 가족'으로 그들 곁에 서 있는 사람들 간의 연대를 잘 그려낸다. 이 과정에서 상구는 "죽은 딸의 목숨 값을 흥정한다" 내지 "그가 빨갱이가 되었다"는 주변 사람들의 험담과 이에 동조하며 흔들리는 아내(윤유선 분), 그리고 이른바 '진성

맨'이 된 아들을 보며 자신의 투쟁이 무엇을 위한 것인지 회의하기도 하지만, 영화 속 아빠는 이렇게 외친다. "내 꼭 밝혀낼거야, 내 딸 아픈 거 다 니들 때문이라고. 산재 받아낼 거야. 꼭!" 그리고 마침내 딸과의 약속을 지켜낸다. 그리고 딸을 화장해서 그 유해를 뿌린 강원도 설악산의 울산바위가 보이는 곳을 찾아가 술을 뿌리며 "윤미야! 아빠가 약속 지켰다. 자, 마세. 원샷해도 된데이"라고 말한다. 영화는 "영화 속 아빠의 실제 인물인 황상기 씨는 지금도 속초에서 택시기사를 하고 있다"는 자막과 함께 끝난다.

연대로 빚어낸 성과,
하지만 여전히 먼 인간다운 노동의 길

〈또 하나의 약속〉은 산재로 왜 안타까운 죽음이 발생하는지 그리고 산재로 인정받는 것이 왜 그렇게 힘든지를 보여주며 보는 이로 하여금 여러 가지 의문과 분노의 감정을 불러일으킨다. 그리고 삼성(극중에서 '진성')을 '절대악'으로 그리지 않으면서도 삼성의 가장 큰 힘인 돈으로 삼성이 촘촘하게 피해자들과 그 주변인물들을 옭아매는 지점을 포착한다. 이러한 과정에서 황상기(극중에서 상구) 씨는 "살아 움직이는 동물로서의 삶을 포기하고 자기 뇌를 소화시켜 버린 채 식물처럼 사는 멍게가 되지 않으려면 스스로를 믿고 끝까지 싸우는 길밖에 없다"는 신념으로 결국 딸의 죽음이 업무상 재해라는 사실을 밝혀내 감동을 자아낸다.

한편 '하늘의 별따기'로 비유되는 판결의 결론을 이끌어낼 수 있었던 이면에는 피해자들과 함께 동고동락하며 산재 인정을 위해 고군분투한 '반도체 노동자의 건강과 인권 지킴이(반올림)'의 지지와 연대가 있었다. 특히 반올림 활동가의 일인인 노무사는 삼성의 온갖 회유와 방해, 근로복지공단의 불승인처분, 고용노동부의 냉대를 무릅쓰고 백혈병을 비롯한 업무상 질병에 대한 근로복지공단의 산재인정기준이 잘못되었다는 것을 확인시켰고, 무엇보다 업무상 질병 피해를 입은 노동자에게 산재의 입증책임을 과도하게 부과하는 문제점을 알렸다.

이처럼 <또 하나의 약속>은 삼성 반도체 공장에서 일하다 백혈병에 걸려 사망한 고(故) 황유미씨의 이야기이기도 하지만, 딸을 그렇게 잃은 부(父) 황상기씨의 힘겨운 싸움을 통해 산재에 무감각한 대한민국 사회에 경종을 울린 이야기이기도 하다. 그리고 동시에 골리앗과 맞서 링 위에 올라간 이들이 서로를 '또 하나의 가족'으로 여기며 지지하는 연대의 이야기이기도 하다. 이에 한 걸음 더 나아가 '노동자 없는 공장'을 목표로 하는 오늘날 과학기술혁명 시대에 하느님의 뜻에 일치하는 노동이 무엇인지에 대해 숙고하게 만든다. 현재 산업기술복합체는 점점 더 거대하며 복잡해지고 자본 집약적이고 폭력적이 되었다. 기술은 이른바 그 가치중립성과 전능성에 의해 창조신의 자리를 차지했으며 아무도 그 힘에서 벗어날 수 없는 하느님의 전능한 대용물이 되었다. 게다가 사회적 약자들은 이러한 폭력의 가장 일차적이고 직접적인 희생자가 되었다.

16세기 스위스의 종교 개혁자 칼뱅(John Calvin, 1509-1564)은 "노동은 신성하다"고 하면서 세속사회에서 노동을 통한 '직업(Beruf)'을 성직자의 '부르심(Berufung)'과 상응해 이해했다. 그리고 이러한 칼뱅의 선언을 이어 20세기 경제사회학자인 막스 베버(Max Weber, 1864-1920)는 『프로테스탄티즘 윤리와 자본주의 정신』(*Die protestantische Ethik und der Geist des Kapitalismus*)을 통해 자본주의가 생성되어가는 과정에서 개신교 윤리로 우리의 안녕할 권리와 노동 양자 간을 긴밀하게 하나로 묶어 우리 자신이 '생산적 자아'와 동일시되게 만들었다. 이에 대해 도로테 죌레(Dorothee Sölle, 1929-2003)는 『사랑과 노동: 창조의 신학』(*Lieben und arbeiten: Eine Theologie der Schöpfung*)에서 "베버의 개신교 노동윤리는 임금노동체제를 이데올로기적으로 뒷받침하며 노동이 어떠한 노동인지, 이의 목적이 무엇인지 고려하지 않고 그저 부지런히, 그리고 열심히 노동하는 것을 하느님의 뜻에 일치하는 삶으로 칭송하게끔 했고, 노동자들이 문제를 제기하거나 노동조건을 비판하거나 산재에 저항해서는 안 되고, 노동이 노동하는 인간에게 어떠한 영향을 끼치는가 하는 문제를 다루어서도 안되는 것으로 만들었다"고 지적한다. 그리고 죌레는 "우리는 노동과 사랑을 통해 '하느님의 형상(Imago Dei)'을 실현하는 하느님의 공동 창조자들이며 이러한 의미에서 모든 인간의 노동은 하느님 나라와 관련되어 있다"고 말한다. 또한 창조와 관련해 자기 자신을 표현하게 해주는 노동, 이웃과의 관계를 회복하고 사회적 통합을 가져다주는 노동, 자연과 화해하는 노동이 좋은 노동이며 이는 삶을 유지하며 풍부하고 충만하게 한다고 강조하며, 이러한 노동에 일치하는 방향으로 제도적 변화를 이룰 것을 제안한다.

산재는 노동자의 몸에 새겨진 질병과 장해, 그리고 사망이다.

'삼성 반도체 백혈병 산재 사건'에서 황유미 씨가 백혈병으로 사망한 일에 대해 산재승인을 받은[67] 이후 한국 노동자의 직업성 암 문제가 새롭게 조명되었고, 적지 않은 제도적 변화를 가져왔다.[68] 이는 다름 아닌 영화 <또 하나의 약속>에서 21세기의 '찰리들'이 연대해 '또 하나의 약속'으로서 미래 세대에게 전한 희망이자 '좋은 노동'에 한 걸음 다가서는 방향으로의 제도적 변화로 볼 수 있다.[69] 입법자들이 이러한 논의를 확장해 한국사회의 맥락 속에서 지워진 산재 노동자들의 몸을 정치·경제·사회적 환경 속에 위치한 것으로 환기해 향후 인간의 얼굴을 지닌 정책으로 의제화할 수 있기를 바란다.

● deep into the film ●

이른바 '김용균 법'

2018년 12월 당시 24세의 김용균씨가 서부발전이 운영하는 태안화력발전소(이하 '태안화력')에서 혼자 야간근무를 하다 컨베이어벨트에 끼어 사망했다. 1994년생인 그는 비정규직으로 입사 후 3개월 만에 '끼임사'로 사망했는데, 정확한 사인은 "목부위의 외상성 절단"이었다.

태안화력에서는 석탄으로 불을 때서 터빈을 돌려 전기를 만든다. 즉 발전소 안에 있는 부두까지 배가 들어와서 석탄을 내려주고, 컨베이어를 이용해서 석탄을 옮긴 후, 이 석탄으로 불을 땐다. 컨베이어의 전체 길이는 10km가 넘고, 초속 4.3m, 시속 약 15.6km로 움직인다. 석탄을 실은 컨베이어가 눈 깜짝할 사이 4.3미터를 움직인다.

고(故) 김용균 씨의 업무는 현장운전원으로, 컨베이어 근처를 도보로 순회하면서 설비 이상을 점검하고 이상이 있을 경우 보고하며, 수시로 컨베이어 근처에 떨어진 석탄(낙탄)을 치우는 일이다. 컨베이어는 커다란 함으로 쌓여있고, 이 함에 뚫려진 구멍(점검구)을 통해서만 설비를 점검할 수 있으며, 이 구멍에는 덮개가 있다. 따라서 원래대로라면 컨베이어에 사람이 끼일 일이 없다. 그러나 덮개를 열고 닫으며 작업하는 것이 매우 불편했으므로 덮개가 없는 상태로, 즉 덮개가 항상 열려있었기 때문에 언제든지 사람이 끼어도 이상하지 않을 위험한 환경이었다. 다만 이 경우를 대비해서 '풀코드 스위치'를 작동하면 컨베이어가 멈

추도록 되어 있다. 그러나 몸이나 작업복이 끼인 사람이 이를 작동하는 것은 불가능하므로 2인 1조 근무가 필수적이었고, 회사 지침상 규정도 있었다. 그러나 하청업체는 인건비 부담으로 2인 1조를 구성하기 어려웠다.

이러한 환경에서 고(故) 김용균씨는 혼자 야간 순회를 하다 설비의 이상을 느끼고 점검구를 통해 점검하던 중 옷 내지 신체가 끼어 사망했다.

이 사건을 수사한 검찰은 방호조치 없이 점검 작업을 하도록 지시·방치한 점, 2인 1조 근무배치를 하지 않고 단독으로 점검 작업을 하도록 한 점, 컨베이어 벨트 가동을 중지하지 않고 작업을 하도록 하는 등 주의 의무와 안전조치 의무를 위반한 점 등을 이유로 사고가 발생한 것으로 판단하고, 2020년 8월 원청과 협력업체 법인, 임직원 등 14명을 업무상과실치사, 산업안전보건법 위반 등 혐의로 기소했다.

이에 대해 1심 법원[70]은 원청인 서부발전 대표이사에 대해서는 무죄를, 원청 법인을 비롯해 대표이사를 제외한 원청의 고위 경영진, 그리고 하청 법인과 대표이사를 비롯한 경영진에게는 유죄판결을 내렸다. 1심에서는 "(i) 컨베이어 외함의 덮개를 제거한 상태로 아무런 방호 설비 없이 작업을 하도록 한 점, (ii) 끼임 사고 발생 가능성이 높은 상황이므로 2인 1조 작업이 필요했지만 단독으로 작업하게 한 점, (iii) 컨베이어가 고속으로 작동되는 상태에서 점검 작업을 하도록 한 점"이 김용균씨의 사망에 기여했다고 보았다.

그러나 2심법원은 "위 (iii)을 제외한 나머지 사항이 모두 문제이고, 죽음에 기여했다"고 보았다. 다만 서부발전과 하청사 모두 규모가 크고 작업 인원도 많다는 사실에 주목하고, "이들은 컨베이어 작업의 위험성을 '추상적으로' 알고 있기는 했지만, 구체적으로 현장운전원들이 어떻게 작업하는지까지는 알지 못했으므로 이러한 위험을 방지할 의무가 없고, 다만 그 아래의 실무자급은 구체적으로 위험을 알고 있으므로 처벌받아야 한다"고 판시[71]하며 원청 대표이사뿐만 아니라 원청 법인과 고위 경영진에게도 무죄판결을 내렸다.

대법원은 사망의 원인이 된 작업 환경을 '구체적으로 몰랐다'라는 이유로 원청 대표이사, 고위 경영진, 그리고 법인 모두에게 책임이 없다고 보고, 고(故) 김용균씨 노동자 사망 5주기를 단지 4일 앞둔 지난 2023년 12월 7일, 태안화력발전소 경영진의 무죄를 확정했다.[72]

이로 인해 비정규직 하청노동자에게 위험한 업무를 몰아주는 '위험의 외주화'가 문제되었고, 원청의 책임을 폭넓게 인정하는 이른바 '김용균 법'이라 불리는 산업안전보건법 전부개정안이 국회를 통과해 2019년 1월 15일 공포되어, 2020년 1월 16일부터 시행되었다.

동법은 1990년 개정 이후 28년 만에 전부 개정된 것으로 우선 하청 노동자의 산업재해에 대한 원청의 예방책임을 강화했다. 사업주에게 가해지는 처벌의 수위도 안전 조치 위반으로 노동자가 사망하는 사고가 5년 내 2회 이상 발생 시 50% 가중되며, 법인 사업주에 대한 벌금액 상한액은 1억원에서 10억원으로 상향되었다.

도급인이 안전보건 조치 의무를 위반 시 처벌도 현행 1년 이하 징역 또는 1000만원 이하 벌금에서 3년 이하 징역 또는 3000만원 이하 벌금으로 강화되었다. 또한 하청 노동자 사망시 도급인의 처벌은 수급인(하청 사업주)과 동일한 수준으로 높아졌다.

또한 '위험의 외주화'를 막기 위한 도급 제한을 두어 도금작업, 수은·납·카드늄의 제련·주입·가공·가열 작업, 허가대상물질(아연, 비소 등 12가지) 제조·사용 작업의 사내 도급을 금지했다. 다만 일시적·간헐적 작업이거나 도급인의 사업운영에 반드시 필요한 '기술활용목적'의 도급은 고용노동부 장관의 승인 하에 가능하도록 했다.

한편 산업안전보건법의 보호대상을 확대해 근로계약을 체결하는 근로자 뿐만 아니라 특수고용직 노동자와 배달종사자도 산업안전보건법의 보호를 받도록 했다. 그리고 노동자의 작업중지권을 강화해 노동자가 산업재해의 위험이 급박할 때 작업을 중지할 수 있음을 명확히 규정하고, 만약 작업중지를 이유로 사업주가 노동자에게 불이익을 주면 처벌할 수 있는 조항을 신설했다. 따라서 앞으로 '구체적으로 몰랐다'라는 이유로 원청과 고위 경영진이 처벌을 피하는 일은 줄어들 것이다.

한편 원청 대표가 원·하청 노동자 모두의 안전을 책임져야 한다는 중대재해처벌법도 2021년 1월 26일에 통과되었다. 다만, 형벌규정은 소급적용될 수 없으므로 이 두 가지 법은 고(故) 김용균씨 사건에는 적용되지 않는다.

10

잠자던 거인,
카트를 밀며 깨어나 연대하다.

✺

부지영 감독, <카트>(2014)

10

잠자던 거인, 카트를 밀며 깨어나 연대하다.

부지영 감독, <카트>(2014)

이랜드 홈에버 여성노동자들의 510일 간 연대

'이랜드 사건'은 2006년 제정된 비정규직보호법의 시행을 앞두고 이랜드 그룹이 동법의 차별금지 조항과 2년 초과 비정규직의 정규직 전환을 회피하려고 외주화를 추진하다 벌어졌다. 이 과정에서 뉴코아는 용역 전환일을 맞추기 위해 아직 계약기간이 남아 있는 직원들에게 사직서를 쓰고 용역업체에 입사할 것을 강요하거나 언제든지 계약해지가 가능하도록 하는 '0개월 근로계약서'를 작성하기도 했다. 또한 이랜드 그룹에 속한 '홈에버'에서는 "18개월 이상 근무한 계약직 조합원에 대한 정당한 사유 없이 계약기간 만료를 이유로 계약해지를 할 수 없다"는 단체협약 조항에도 불구하고 2년 가까이 일한 계약직 노동자를 일방적으로 계약 해지했고, 비정규직 보호법에 의한 정규직 전환과 계약갱신을 기대하고 있는 300여명의 계약직 직원과 500여 명의 용역 직원을 해고함으로써 노동자들의 반발을 샀다.

2007년 초부터 진행된 비정규직 대량 해고와 용역 전환의 상황에서 이랜드 그룹 노조는 5월 15일 공동으로 기자회견을 가지고 "비정규직 차별과 대량해고를 막기 위한 총력투쟁을 벌이겠다"고 선언했다. 그리고 6월 10일 "비정규직의 정규직화, 부당계약해지 저지, 외주화 저지" 등을 내걸고 이랜드 일반 노조와 뉴코아 노조가 공동총파업에 들어갔다.

한편 이러한 이랜드 그룹의 부당노동행위가 알려지면서 당시 노동부는 5월 15일부터 뉴코아에 대한 특별근로감독을 시행했다. 그러나 노동부는 뉴코아가 노동부의 근로감독을 피하기 위해 개발한 '백지계약서'에 대해 "서명한 사람이 잘못"이라고 함으로써 이랜드 그룹의 위법행위에 대해 방조했다.

이랜드 그룹 소속 노조들은 이러한 사태에 맞서 '뉴코아-이랜드 일반노동조합 공동투쟁본부'를 결성하고 6월 10일 1차 하루 공동파업, 6월 15일부터 16일에 걸친 2차 공동파업을 단행했다. 그리고 6월 30일 홈에버 상암동 월드컵점을 점거 후 농성을 시작하고, 7월 2일 이를 무기한 하기로 결정했다.

7월 6일과 7일 두 차례에 걸친 노·사 간 협상이 결렬되자, 민주노총은 7월 8일 '이랜드 그룹 점포 매출 0 투쟁'을 시작했다. 이처럼 이랜드 불매운동이 확산되자 이랜드 노·사는 7월 16일부터 마지막 협상을 가졌지만 결렬되었다.

정부는 7월 20일 이랜드 비정규직 점거농성 현장에 공권력을 투입해 노조원들을 강제해산 시켰다. 그리고 이랜드 일반노조위원장을 포함해 조합원 47명을 전원 연행했다. 노조는 구속된 1차

<카트>는 2007년 이랜드 홈에버 사건을 통해 한국 사회 비정규직 노동자 문제의 심각성을 폭로했다.

지도부를 대신해 2차 지도부를 결성하고 사측과 협상을 재개했으나 뉴코아-이랜드 분리교섭과 체포영장이 발부된 노조 지도부의 신변보호 문제 등으로 협상은 결렬되었다. 이에 노조는 7월 29일 뉴코아 강남점을 다시 점거했다. 이러한 노조의 2차 점거에 대해 7월 31일 공권력이 투입되어 강제해산되었다. 노조는 3차 지도부를 결성해 사측과 협상을 시도했고, 8월 6일 재개된 협상은 또 다시 합의점을 찾지 못했다. 이에 노사는 9월 4일부터 노동부의 중재로 집중교섭을 가졌으나 협상은 진전 없이 계속 평행선을 그었으며, 이랜드 노조는 홈에버 면목동 매장을 점거했다. 그리고 경찰의 투입으로 3시간여 만에 해산되었다.

이처럼 연일 계속되던 이랜드 총파업 사태는 2019년 10월 13일 510일 만에 노·사 양측의 합의로 일단락되었다.[73]

낙숫물이 뚫은 바위

부지영 감독의 영화 <카트>는 2007년 실제 있었던 이랜드 홈에버 사태를 바탕으로 제작된 극영화이다.

영화는 극 중 주인공 한선희(염정아 분)가 '더 마트'의 모범직원으로 계약직에서 정규직 전환을 3개월 앞두고 있다는 소식을 전 직원들 앞에서 듣는 장면으로 시작한다. 그리고 곧이어 선희를 포함해 비정규직 노동자들에게 계약 해지 통보를 알리는 공고문이 붙는다.

이들은 그저 임신했다는 이유만으로 이전 회사에서 해고된 경험을 지닌 싱글맘인 혜미(문정희 분), 대학을 졸업하고 면접만 50번 넘게 봤지만 취업에 실패하고 수많은 아르바이트를 한 미진(천우희 분), 20년 넘도록 '청소밥'으로 생계를 이어 온 순례(김영애 분), 고등학생인 아들의 학교은행 계좌에 급식비를 기한 내 입금하는 것을 잊을 만큼 먹고 살기 바쁜 두 아이의 엄마인 선희 등일 뿐이다.

해고통지를 받은 이들은 어느 한 허름한 식당에서 대책회의를 한다. 그리고 혜미와 순례는 그 자리에서 바로 '노동조합 가입신청서'를 돌린다. 혜미는 이 신청서를 돌리면서 "혼자서 아무리 회사에 말해 봐야 씨도 안 먹혀요. 우리 그 날 복도에서 봤잖아요. 우리가 한꺼번에 덤비니까 최과장(이승준 분)이 당황하잖아요. 그래서 노동조합을 만들어야 해요"라고 말한다.

회사는 비정규직을 용역직으로, 정규직을 연봉계약직으로 각각 전환해 마트를 매각하려는 계획을 세웠다. 이에 '더 마트'의 대리이자 정규직 사원인 동준(김강우 분)은 정규직 직원 노조와 비정규직 직원 노조를 통합한 이랜드일반노조를 결성한 후,[74] 위원장을 맡는다.

노동조합 및 노동관계조정법(이하 '노조법') 제2조 제4호 본문은 노동조합을 "근로자가 주체가 되어 자주적으로 단결해 근로

조건의 유지, 개선 그 밖에 근로자의 경제적, 사회적 지위향상을 도모할 것을 목적으로 조직하는 단체 또는 그 연합단체이다"라고 정의한다.

그리고 대한민국 헌법 제33조 제1항은 "근로자는 근로조건의 향상을 위하여 자주적인 단결권·단체교섭권 및 단체행동권을 가진다"고 규정하고, 노조법은 이러한 노동 3권의 행사를 방해하는 행위를 엄격하게 금지하고 처벌함으로써 노동 3권의 행사가 실질적으로 가능하게 하도록 한다.

노조법 제81조 제 1항에서는 노조 가입 등 노조 업무를 했다는 이유로 해고하거나 불이익을 주는 행위 또는 노조 가입을 불허하는 행위를 부당노동행위로 규정해 금지함으로써 단결권을 보장한다. 그리고 사용자는 노동조합의 교섭 요구에 반드시 응해야 하며 신의에 따라 성실히 교섭할 의무를 가진다.

영화에서는 회사가 노조의 교섭요구를 계속 무시하자, 혜미는 "아무래도 다른 방법을 써야 할 것 같아요"라며 파업을 감행한다. 노조법상 쟁의행위는 파업·태업·직장폐쇄 그 밖에 노동관계 당사자가 그 주장을 관철할 목적으로 하는 행위와 이에 대항하는 행위로서 업무의 정상적인 운영을 저해하는 행위(노조법 제2조 제6호)로 파업이 그 전형적 예이다.

<카트>에서는 비정규직 여직원들에 대한 호칭이 평상시에는 '여사님'이었다가 회사의 방침을 거부하며 파업을 일으킨 후에는 '이 아줌마들'로 바뀐다. 그리고 노동자들이 처음 파업을 단행했을 때 회사 관리자는 별일 아니라는 듯 "아줌마들이 해봤자지 뭐"라고 답한다.

그러나 별일 아닐 것 같았던 그 싸움은 전무후무한 싸움이 되었고, 정규직과 비정규직이 함께 한 철폐투쟁이 510일 동안 이어졌다.

회사는 승진 등을 약속하며 개별적으로 파업 참가를 막으려 하거나, 대체인력을 투입하거나, 노조를 하면 다른 마트에도 취업을 하지 못할 것이라는 등 다양한 방법으로 개별노동자들을 회유한다.

노조법에 의하면 사용자는 쟁의행위 기간 중 그 쟁의행위로 중단된 업무 수행을 위해 당해 사업과 관계 없는 자를 채용 또는 대체할 수 없다(제43조 제1항 및 제2항). 다만 필수공익사업의 사용자가 쟁의행위 기간 중에 한해 당해 사업과 관계없는 자를 채용 또는 대체하거나 그 업무를 도급 또는 하도급 주는 경우에는 가능하지만, 이 경우에도 사용자는 당해 사업 또는 사업장 파업 참가자의 100분의 50을 초과하지 않는 범위 내여야 한다(노조법 제43조 제3항 및 제4항).

한편 쟁의행위 기간 중에는 근로자는 근로제공을 하지 않고 사용자는 임금을 지급하지 않는다는 '무노동 무임금 원칙'이 적용되는데,[75] 파업 기간이 장기화됨에 따라 임금을 받지 못하는 기간이 늘어나자 노조원들은 동요하기 시작했고, 노조 결성을 주도하며 싸우던 혜미가 결국 파업 대열에서 일시 이탈하기도 한다.

파업이 노조법상 정당화되기 위해서는 파업의 주체가 노동조합이어야 하고, 파업의 목적이 근로조건 결정과 관련된 사항이어야 하며, 조합원의 직접, 비밀, 무기명 투표에 의해 파업이 결정되어야 하며, 파업을 하더라도 폭력을 행사하거나 파괴행위, 주요 생산 사실 점거 등을 해서는 안된다.

<카트>에서는 파업이 불법으로 간주되어 강제해산을 당하고, 노조와 노조원들이 거액의 손해배상책임을 진다. 그럼에도 불구하고 이들은 단결력을 다짐하며 '낙숫물이 바위를 뚫는다'는 문구가 새겨진 조끼를 입고 "우리가 바라는 건, 이렇게 외치는 우리를 봐 달라는, 우리의 이야기를 들어달라는 것"이라고 외쳤다. 이는 시급 삼천원 남짓한 아르바이트의 대가마저 지급하지 않으려는 편의점 사장 때문에 이제는 더 이상 아들(도경수 분)이 억울해하지 않아도 되는 그런 세상이 되어 달라는 절규이다.

영화는 "대량해고와 노조탄압에 맞선 이들의 투쟁은 오랫 동안 계속되었다. 파업을 주도했던 노조지도부들이 복직을 포기하는 조건으로 나머지 조합원 전원은 일터로 다시 돌아갈 수 있었다. 지도부들의 희생으로 이룬 절반의 승리였다"는 자막과 함께 끝난다.

깨어난 대중이 빚어낸 연대의 성과

모든 노동자는 인간다운 삶을 보장받는 고용과 노동조건을 누리고, 자신의 권리를 지키기 위해 다른 노동자들과 단결하며 사용자와 교섭하고, 이러한 교섭을 위해 단체행동을 할 수 있는 권리를 인정받아야 한다.

한국은 1948년 제헌헌법부터 노동자의 권리를 기본적 인권으로 규정했지만 이 헌법을 위배하는 법률이나 정책으로 노동자들은 인간다운 삶을 누리지 못했다.

리베카 솔닛(Rebecca Solnit)은 『어둠 속의 희망』(*Hope in the Dark*)에서 "대중의 다른 이름은 잠자는 거인이다. 거인이 깨어나면 더 이상 대중이 아니며 시민사회이자 최고권력으로 폭력보다 더 강력하고 정권과 군대보다 더 강력하다. 그리고 함께라면 그 힘은 매우 강력하다"고 했다.[76]

<카트>는 이랜드의 대량해고 사건을 소재로 하나의 목표 아래 깨어난 거인인 노조원들의 단결된 투쟁을 그리면서 연대의 필요성과 그 힘을 강조하며 한국 사회의 비정규직 노동자 문제를 알리는데 크게 일조했다.

● deep into the film ●

부당노동행위 구제제도와 부당해고 구제제도

대법원은 사용자로부터 해고된 근로자가 부당노동행위 구제제도와 부당해고 구제제도 양자 모두를 신청한 사안에서, “노동조합 및 노동관계조정법(이하 ‘노조법’)에 의한 부당노동행위 구제제도는 집단적 노사관계질서를 파괴하는 사용자의 행위를 예방·제거함으로써 근로자의 단결권·단체교섭권 및 단체행동권을 확보해 노사관계의 질서를 신속하게 정상화하고자 함에 그 목적이 있는 반면, 근로기준법에 의한 부당해고 등 구제제도는 개별적 근로계약관계에 있어 근로자에 대한 권리침해를 구제하기 위함에 그 목적이 있는 것으로 이는 그 목적과 요건 뿐만 아니라 그 구제명령의 내용 및 효력 등에 있어서도 서로 다른 별개의 제도이다. 그러므로 사용자로부터 해고된 근로자는 그 해고처분이 구 노조법상 부당노동행위에 해당함을 이유로 같은 법에 의한 부당노동행위구제신청을 하면서 그와는 별도로 그 해고처분이 구 근로기준법상 부당해고에 해당된다는 이유로 같은 법에 의한 부당해고 구제신청을 할 수 있는 것이고, 근로자가 이와 같은 두 개의 구제신청을 모두 한 경우, 부당해고구제절차에서 부당해고에 해당함을 이유로 구제명령이 발해졌다고 하더라도 그 구제명령은 근로자에 대한 해고처분이 부당노동행위에 해당함을 전제로 이루어진 것이라 할 수 없으므로, 그와 같은 부당해고에 대한 구제명령이 있었다는 사정만으로 부당노동행위구제신청에 대한 구제이익 또는 그 구제신청을 받아들이지 않은 중앙노동위원

회의 재심판정에 대한 취소소송에서의 소의 이익마저도 없게 되었다고 할 수 없다"고 판시했다.[77]

11

소수의견,
경찰의 부작위로 인한 국가배상책임을 인정하다.

김성제 감독, <소수의견>(2015)

11

소수의견, 경찰의 부작위로 인한 국가배상책임을 인정하다.

김성제 감독, <소수의견>(2015)

이른바 '용산참사' 사건

2009년 1월 20일 새벽, 서울 용산구 한강로에 위치한 남일당 건물 위로 약 30명의 사람들이 용산구청의 폭력적 철거에 맞서 자신들의 생존권을 지키기 위해 망루를 짓고 올라갔다. 이에 용산구청을 비롯한 정부는 경찰특공대와 용역업체 직원을 투입해 진압했다. 그 결과 그들이 농성에 들어간 지 30시간도 채 되기 전에 철거민 5명과 특공대원 1명이 불에 타 사망하고, 24명이 크게 다쳤다. 이른바 '용산참사'이다.

2006년 4월 20일 용산구 한강로 2가 일대 53.441m²의 면적이 '국제빌딩 주변 제4구역 도시환경 정비구역'으로 지정되었다. 이후 2007년 2월 빠른 속도로 재개발조합이 설립되었고, 같은 해 4월 용산구청은 지하 6층 그리고 지상 35층 규모의 주상복합 빌딩 7동을 짓기로 한 재개발사업을 승인했다. 그리고 10월 용산구청은 재개발 조합이 세입자들과 법률에 규정된 협의나 보상 없이 신청한 '관리처분계획인가'를 승인했다. 이러한 조치에 세입자대책위원회의 항의를 받은 용산구청장은 관리처분계획인가절차는 세입자와 협의할 사항이 아니라고 했다.

이어서 2008년 7월 16일부터 조합이 선정한 용역회사에 의해 강제철거가 시작되면서 세입자들은 정당한 보상을 받지 못하고 쫓겨났다. 바로 이러한 상황에서 '용산참사'가 일어났다.

한편 당시 '용산참사'가 발생한 용산 4구역은 '도시재정비 촉진을 위한 특별법'의 적용을 받는 뉴타운(newtown) 지정구역으로 일반주택 재개발사업과 달리 도시환경정비사업 지구이자 미래가치가 보장되는 용산 한복판에 주상복합건물이 건설되므로 개발이익에 대한 기대심리가 높아 한국 굴지의 건설사인 삼성, 포스코, 대림이 컨소시엄(consortium)으로 참여했다. 반면 구청장 등 기초자치단체장이 일방적으로 도시환경 정비사업계획을 수립하고 구역을 지정한 후, 세입자를 포함한 주민들은 약 2주간의 형식적 공람이 허용된 것 이외에는 당사자들의 주거권 및 생존 환경을 결정하는데 반영되어야 할 주요한 결정 사항 절차에서 배제되었다.[78]

"내가 한 건 말이야…"

김성제 감독의 <소수의견>은 손아람 작가의 동명의 소설인 『소수의견』을 바탕으로 바로 이러한 2009년 '용산참사'사건 실화를 바탕으로 제작되었다.

<소수의견>은 '용산참사' 사건 관련 국민참여재판, 재정신청, 국가배상, 기피제도 등을 통해 한국의 공공 민간 협동개발 가면 이면의 모습을 드러냈다.

다만 영화 속 재개발 현장은 용산이 아니라 북아현 지역이고, '용산참사' 사건 현장에서는 아버지를 잃은 아들이 재판에 회부되었지만, 소설과 영화에서는 아들을 잃은 아버지가 주인공이다. 또한 실제 재판에서는 피고인이 던진 화염병이 경찰의 사망원인인지 여부가 쟁점이었는데, 영화에서는 피고인이 아들을 구하기 위해 경찰을 때려 사망하게 한 것이 정당방위였는지 여부가 중요한 점으로 설정되었다.

영화는 '용산참사' 사건 현장 진압장면으로 시작한다. 그리고 주인공인 철거민 박재호(이경영 분)가 자신의 아들을 구하려다 진압경찰의 머리를 각목으로 내리쳐 살해한 혐의를 받고 재판이 진행되는 과정이 내내 진행된다. 또한 경찰의 진압으로 박재호의 아들이 사망한 것에 대한 국가의 책임을 묻는 국가배상청구소송도 다룬다.

실제 '용산참사' 발생 후 검찰은 철거민들이 사용한 화염병이 화재 원인이었고, 경찰의 진압은 정당한 공무집행이었다고 수사결과를 발표한다. 그리고 철거민 20명과 용역업체 직원 7명을 기소하고, 진압경찰에 대해서는 무혐의처분을 내렸다. 2009년

10월 서울중앙법원은 철거민 전원에게 특수공무집행방해치사 등 유죄판결을 선고했고,[79] 2010년 대법원에서 최종 유죄가 확정되었다.[80]

당해 재판부는 "1심과 2심에서 조사된 증거 동영상을 보면 피고인들에 의해 뿌려진 세녹스에 화염병이 더해져 화재가 발생했다고 판단한 원심에는 위법이 없고, 현장에서 진압작전을 지휘한 경찰관이 망루에 1차 진입해 대부분의 농성자들을 검거한 다음 곧바로 2차 진입을 지시한 것은 당시 현장 상황을 고려한 결정으로 객관적 정당성을 상실한 것이 아니며 시기나 방법에 관해 다소 아쉬움이 있다고 하더라도 경찰이 진행한 진압작전을 위법한 직무집행이라고 볼 수 없다"고 판시했다.

영화에서는 극 중 윤진원(윤계상 분)이 처음에는 국선으로, 나중에는 국선을 사임한 이후에도 박재호를 변호한다. 박재호는 자신이 경찰을 죽인 것은 맞지만 이는 형법 제21조 제1항상 정당방위이며, 자신의 아들을 죽인 것은 용역업체 직원인 김수만(김형종 분)이 아니라 경찰이라고 주장한다. 그리고 변호인은 박재호의 정당방위 주장을 인정받기 위해 국민참여재판을 요청한다. 검찰에서는 국민참여재판 기일에 증인을 60명 신청해 국민참여재판을 방해한다. 이에 장대석(유해진 분)·윤진원 변호인측이 국민참여재판을 막기 위한 술수라는 지적을 하자 판사(권해효 분)는 증인을 10명으로 줄여 재판을 속행하고, 배심원들은 정당방위를 인정한다. 그러나 법원은 그 배심원들의 평결을 받아들이지 않고 유죄를 선고한다.

한국에서는 2008년 국민참여재판이 도입되었다. 시민의 사법

참가제도에는 미국에서 시행되는 배심제와 독일과 프랑스처럼 시민과 직업 법관이 협력해 판결을 내리는 참심제가 있는데, 한국은 이 양자가 모두 혼용된 모습이다. 일단 배심원이 법관의 관여 없이 유·무죄를 판단하는데 이는 배심제에 따른 것이고, 양형에 대해서는 판사와 함께 토론하고 양형 의견을 내므로 참심제 방식에 의한 것이다. 그리고 한국의 국민참여재판은 형사재판에만 적용되고, 대상 사건도 '국민의 형사재판 참여에 관한 법률'에 정해져 있다. 또한 배심원의 평결은 권고적 효력을 가지는데 그친다.

실제 '용산참사' 사건에서도 당시 특수공무집행방해치사죄의 혐의를 받고 있던 피고인 4명이 법원에 국민참여재판을 신청했지만, 재판부는 검찰이 신청한 증인의 수가 너무 많다는 것을 이유로 국민참여재판이 아닌 일반재판으로 진행했다.

한편 2009년 10월 18일 실제로는 열리지 못했던 국민참여재판의 형식으로 '용산 국민 법정'이 모의재판 형식으로 열렸다. 모의재판에서는 국가와 경찰의 법적 책임 여부를 쟁점으로 서울지방경찰청장, 서울중앙지방검찰총장, 경찰 관련자들이 기소된 것으로 설정 후 국민배심원 60명을 구성, 검사 측과 피고인 측의 의견을 듣고 평결했다. 배심원들은 이들에게 '공무원의 폭행·가혹행위 및 살인·상해' 혐의로 유죄평결을 내렸다.

그리고 실제 '용산참사' 사건에서는 철거민 사망자 유족들이 진압 작전을 지휘한 경찰 간부에 대해 재정신청을 했다. 유족들은 철거민이 불을 지른 것이 아니라 경찰의 무리한 진압 과정에서 불이 났고, 그 과정에서 사상자가 발생했으므로 경찰이 업무상 과실치사죄의 책임을 져야 한다고 주장했다. 그러나 검찰은 경찰에 대해 무혐의처분을 내렸고, 이에 대해 고등법원에 재정신청을 했으나, 최종적으로 기각되었다.

이러한 재정신청은 검사가 어떤 사건을 불기소처분시, 이에 불복해 불기소처분의 옳고 그름을 법원에서 판단해 달라고 신청하는 것으로 검찰의 기소재량을 통제하기 위해 마련한 제도이다. 2007년 형사소송법 개정으로 재정신청의 대상은 모든 범죄로 확대되었지만, 그 이전에는 공무원의 직권남용이나 수사기관의 불법체포·감금과 가혹행위에 대해서만 인정되었다.

또한 '용산참사' 재판에서는 검사가 수사기록 열람·등사를 거부했다. 이에 대해 변호인은 법원에 수사자료 공개명령을 받아낸다.[81] 검찰은 법원의 미공개수사기록 2,160면에 대한 열람·등사를 허용하라는 명령에도 불구하고 이를 거부하고 재판부 기피신청을 한다. 이 건에 대해 최종적으로 대법원은 법원의 용산사건 수사기록 공개결정에 반발해 경찰과 검찰이 낸 법원의 사건기록 열람·등사허가 신청에 대한 재항고에 대해 "재항고인들이 재항고의 대상으로 삼은 기록 열람·등사 허용 처분은 재판장의 처분에 불과하고, 형사소송법 제415조에 의한 불복대상인 '법원결정'에 해당하지 않음"을 이유로 기각했다.[82]

이에 더하여 검찰이 낸 재판부 기피신청 기각결정에 대한 재항고도 기각했다.[83] 당해 재판부는 "법관에 대한 기피신청제도는 당사자의 법관에 대한 불신감을 제거하고 재판의 공정을 보장하기 위해 법관이 어떤 특정한 사건을 재판함에 있어 공정을 기대하기 어려운 사정이 있는 경우, 재판에 대한 직무집행을 하지 못하도록 하는 제도"라고 하면서, "어떠한 이유이든 법관이 해당 사건에 관해 직무를 집행할 수 없게 되었을 경우, 기피신청은 목적을 잃게 되어 이를 유지할 이익이 없게 된다"고 판시했다. 즉 "이 사건 기피신청 대상이 된 재판부 소속 판사들이 원심결정 후 전보 또는 사무분담 변경으로 더 이상 기피신청의 원인이 된 사건에 관해 직무를 집행하지 않게 되었기 때문에 기피신청은 이를 유지할 이익이 없다"고 했다.

'용산참사' 사건으로 기소된 용산 4구역 철거대책위원회 위원장 등은 "검찰의 수사서류 열람·등사 거부는 공정한 재판을 받을 권리 등을 침해한다"며 헌법소원을 제기했고, 이에 대해 헌법재판소는 재판관 8:1의 의견으로 위헌결정을 했다.[84] 헌법재판소는 "변호인의 수사서류 열람·등사를 제한함으로 인해 결과적으로 피고인의 신속·공정한 재판을 받을 권리 또는 변호인의 충분한 조력을 받을 권리가 침해된다면 이는 헌법에 위반된다"며 "형사소송법은 이를 보장하기 위해 공소가 제기된 후의 피고인 또는 변호인의 수사서류 열람·등사에 대해 증거개시 대상을 검사가 신청할 예정인 증거에 한정하지 않고, 피고인에게 유리한 증거까지 포함한 전면적 증거개시를 원칙으로 한다"고 했다. 그리고 "형사소송법은 검사의 열람·등사 거부처분에 대해 법원이 허용 여부를 결정하도록 하면서도 법원의 열람·등사 허용결정에 대해 집행정지효력이 있는 즉시항고 등의 불복절차를 별도로 규정하고 있지 않으므로 그 결정이 고지되는 즉시 집행력이 발생한다"고 결정했다.

이러한 헌법재판소의 결정 뿐만 아니라, 대법원은 "검찰이 법원의 ‘용산참사’ 미공개 수사기록 열람·등사 허용결정에도 불구하고 기소된 철거민들에게 공개하지 않은 것은 불법행위에 해당해 국가가 손해배상책임을 져야 한다”고 판시하면서 원심판결을 그대로 확정했다.[85] 그 결과 ‘용산참사’ 당시 농성을 주도하고 화염병을 사용해 진압 경찰관들을 숨지거나 다치게 한 혐의(특수공무집행방해치사 등)로 기소된 철거민 4명이 국가를 상대로 낸 손해배상청구소송에서 국가는 원고들에게 각 300만원씩 모두 1200만원을 지급해야 했다.

영화에서는 용역업체 직원들이 박재호의 아들을 죽이는 과정에서 경찰이 불법 폭력을 방지해야 할 의무를 위반한 책임, 즉 부작위로 인한 국가의 손해배상책임을 청구한다. 그리고 그 청구 배상액을 ‘100원’으로 했는데, 이는 손해를 실질적으로 배상받겠다는 것보다는 국가의 불법행위책임을 인정받겠다는 취지의 상징적 소송으로 볼 수 있다.

영화 제목인 <소수의견>은 바로 여기에서 나왔다. 왜냐하면 부작위로 인한 국가의 손해배상책임을 인정하자는 견해는 소수의견이기 때문이다.

영화 속 박재호는 특수공무집행방해치사의 유죄판결을 받고, 국가를 상대로 한 ‘100원’ 소송에서도 패소한다. 검사를 그만두고 변호사가 된 조구환(김종수 분)이 우연히 마주친 윤진원 변호사에게 자신의 명함을 건네며, “국가라는 건 말이다. 누군가는 희생을 하고 누군가는 봉사를 하고, 그 기반 위에서 유지되는 거야. 말하자면 박재호는 희생을 한 거고, 난 봉사를 한 거지. 근데 넌, 결국 넌 뭘 한거냐? 네가 아는 게 뭐야, 인마…”라고 말하고, 윤변호사가 홍재덕 변호사의 명함을 버리는 장면으로 영화는 끝난다.

"헌 집 다오, 새 집 줄께"에 무너진 정주권

한국에서 재개발이라는 명칭이 처음으로 법에 등장한 것은 1971년 7월 20일 '도시계획법'을 전부개정 하면서부터이다. 그리고 2000년 1월 28일 제정되어 2000년 7월 1일부터 시행된 '도시개발법'은 '국토기본법' 및 '국토의 계획 및 이용에 관한 법률'의 규율 하에 도시개발에 관한 사업을 구체화한 법률로 동법은 제 1조에서 그 목적을 제정시부터 현재에 이르기까지 동일하게 "도시개발에 필요한 사항을 규정해 계획적이고 체계적인 도시개발을 도모하고 쾌적한 도시환경의 조성과 공공복리의 증진에 이바지함"에 두고 있다.

한편 주택재개발사업은 원래는 국가 또는 지방자치단체가 직접 시행하거나 대한주택공사와 같은 공기업에 위탁해 추진하던 공익사업이었으나 1983년 토지 등 소유자가 조합을 설립해 공공부문과 공동으로 합동재개발방식으로 추진하면서 사업의 성격이 민간개발사업으로 변화했으나, 법률상으로는 여전히 '공익사업'에 준해 관리되고 있다(공익사업을 위한 토지 등의 취득 및 보상에 관한 법률 제4조). 그 결과 민간사업자의 경우에도 수용권을 가지며,[86] 재개발에 찬성하지 않는 자를 상대로 매도청구권을 행사함으로써 재개발에 반대하는 소수 사람들의 이른바 '알박기'문제를 해결할 수 있게 되었다.

그리고 헌법재판소는 재개발사업에 대해 "공용수용에 필요한 정도의 공공의 필요성이 있는 것으로 보고 수용규정이 정당하다"고 했다.[87] 또한 재개발에 동의하지 않은 소유자에 대한 매도청구권을 합헌[88]으로 보고 "재개발사업은 국가가 추진하든, 민간이 추진하든 공익을 위한 것"이라는 입장이다. 나아가 "공익사업인 재개발로 침해되는 재산권 역시 금전으로 정당한 보상이 된다"고 본다.[89] 그러나 "자신의 의사에 관계없이 그 건물을 매도하고 거주를 이전함으로써 청구인들의 행복추구권, 거주이전의 자유 및 직업수행의 자유에 영향을 끼치게 된다고 하더라도 주된 기본권인 재산권에 대한 제한이 과잉금지의 원칙에 위배되지 않는다면 이와 경합적 또는 보충적 관계에 있는 이러한 기본권에 대한 제한 역시 과잉금지 원칙에 반하지 않는다"고[90] 하면서 재개발 사안에 있어 재산권 이외 기본권 침해에 대한 판단을 유보했다.

그러나 대한민국 헌법 제14조는 거주와 이전 양자 모두의 자유를 보장하고 있으며, 국제인권규약들도 적절한 주택에서 살 권리 뿐만 아니라 거주의 지속성에 대한 권리까지 보장하는 주거의 권리를 중요한 내용으로 포함한다.

영화 <소수의견>은 '용산참사' 사건의 국민참여재판, 재정신청제도, 국가배상청구, 기피제도 등의 재판과정을 통해 재개발 과정에서 효율성과 속도만 강조하며 안정된 정주권이라는 돈으로 환산할 수 없는 가치를 함부로 짓밟고, 그 결과 공공성과 인권이 어떻게 파괴되었는지를 보여준다. 이를 통해 한국식 공공민간 협동개발의 가면 뒤에는 지켜져야 할 공익과 보호받아야 할 주민은 없다는 것을 지적한다.

✹ deep into the film ✹

경찰의 부작위로 인한 국가배상청구소송

대법원은 경찰의 부작위로 인한 국가배상청구권이 문제된 사안에서 "공무원의 부작위로 인한 국가배상책임을 인정하기 위해 공무원의 작위로 인한 국가배상책임을 인정하는 경우와 마찬가지로 '공무원이 그 직무를 집행함에 있어 고의 또는 과실로 법령에 위반해 타인에게 손해를 가한 때'라고 하는 국가배상법 제2조 제1항의 요건이 충족되어야 하는데, 여기에서 '법령에 위반하여'는 엄격하게 형식적 의미의 법령에 명시적으로 공무원의 작위의무가 규정되어 있는데도 이를 위반하는 경우 뿐만 아니라 국민의 생명·신체·재산 등에 대해 절박하고 중대한 위험상태가 발생하였거나 발생할 우려가 있어 국민의 생명·신체·재산 등을 보호하는 것을 본래적 사명으로 하는 국가가 초법규적·일차적으로 그 위험배제에 나서지 아니하면 국민의 생명·신체·재산 등을 보호할 수 없는 경우에는 형식적 의미의 법령에 근거가 없더라도 국가나 관련 공무원에 대해 그러한 위험을 배제할 작위의무를 인정할 수 있을 것이지만, 그와 같은 절박하고 중대한 위험상태가 발생하였거나 발생할 우려가 있는 경우가 아니라면 원칙적으로 공무원이 관련 법령을 준수해 직무를 수행했다면 그와 같은 공무원의 부작위를 가지고 '고의 또는 과실로 법령에 위반'했다고 할 수 없을 것이므로, 공무원의 부작위로 인한 국가배상책임을 인정할 것인지의 여부가 문제되는 경우 관련 공무원에 대해

작위의무를 명하는 법령의 규정이 없다면 공무원의 부작위로 인해 침해된 국민의 법익 또는 국민에게 발생한 손해가 어느 정도 심각하고 절박한 것인지, 관련 공무원이 그와 같은 결과를 예견해 그 결과를 회피하기 위한 조치를 취할 가능성이 있는지 등을 종합적으로 고려해 판단해야 할 것이다"[91]라고 판시했다.

한편 이러한 법리에 따라 망인의 유족이 경찰의 부작위로 인해 망인이 사망에 이르렀다고 주장하며 국가를 상대로 국가배상청구소송을 제기한 사안에서, 대법원은 "사건기록을 살펴보면 ○○이 망인에게 수회에 걸쳐 폭력을 행사하는 등 괴롭혀 오면서 망인 몰래 망인과 사이에 혼인신고를 한 점이나 ○○이 2004. 9. 18. 망인의 집 앞에서 벌인 난동의 내용 등에 비추어 볼 때, ○○이 망인의 생명·신체에 대해 계속해 위해를 가할 잠재적·추상적 위험이 있었다고 볼 여지는 있으나, 종전 범행이 이루어진 기간·빈도·경위와 이 사건 살해의 동기 및 경위 등 원심이 확정한 사실관계와 기록에 의해 알 수 있는 제반 사정에 비추어 원심이 들고 있는 사정만으로 망인의 생명 등에 절박한 위험상태가 발생하였거나 발생할 우려가 있어 국가가 초법규적·일차적으로 그 위험 배제를 위해 망인의 신변보호에 나서지 않으면 그 생명 등을 보호할 수 없는 경우에 해당한다고 보기 어렵다고 하면서, 공무원의 부작위로 인한 국가배상책임을 인정한 원심판결이 법리를 오해했다"고 판시했다.[92]

12

포르쉐를 타던 잰,
미국 민사소송절차의 본질에 대해 묻다.

✺

스티븐 제일리언 감독, <시빌액션>(1998)

12

포르쉐를 타던 잰,
미국 민사소송절차의 본질에 대해 묻다.
스티븐 제일리언 감독, <시빌 액션>(1998)

미국 대다수 로스쿨의 민사소송 텍스트인 '우번 사건'

스티븐 제일리언 감독의 <시빌 액션>은 이른바 '우번(Woburn)사건'의 실화를 다룬 영화로 조나단 하(Jonathan Harr)가 쓴 동명의 논픽션(nonfiction) 소설인 『*A Civil Action*』을 바탕으로 제작되었다.

'우번 사건'은 1972년 인구 40,000여명 정도의 소도시인 메사츄세츠(Massachusetts) 주 우번에서 앤 앤더슨(Anne Anderson)이 겨우 4살에 불과한 자신의 아들이 희귀성 소아암인 림프성 백혈병(acute lymphocytic leukemia)에 걸렸다는 의사의 진단을 듣고, 이 질병의 원인을 찾으려는 노력에서 시작된다. 보스톤(Boston)에서 12마일 북쪽에 위치한 우번은 1900년

<시빌액션>은 '우번 사건' 실화를 바탕으로 미국 민사소송 절차와 환경소송의 실제를 담아냈다.

대 초에는 비소가 포함된 살충제와 섬유, 종이와 동물성 접착제 등을 생산하는 공장들이 들어서기 시작한 곳이었다.

앤은 이웃의 다른 아이들도 동일한 희귀질병에 걸렸는지 알아보기 시작했고, 이웃해 살던 여덟 가족의 아이들도 이 희귀 질병으로 고생하고 있다는 사실을 알게 된다. 앤은 우번에 있는 우물이 원인이라고 생각한다.

우번 사건 대리로 파산한 잰

영화는 이른바 '앰블런스 체이서(ambulance chaser)'인 잰 슐리츠먼(Jan Schlichtmann) 변호사(존 트래볼타 분)가 법정에 종합병원 의료사고로 목 아래 전신이 마비된 의뢰인의 휠체어를 밀고 나타나 배심원들의 동정심을 유발하는 것만으로 피고측 변호사로부터 2백만 달러의 손해배상금을 당사자간 화해(settlement)로 이끌어내는 법정 장면으로 시작한다.

이후 잰이 어느 한 라디오 프로그램(program)에 출연해 이야기를 하던 중 앤 앤더슨(캐슬린 퀸런 분)의 전화를 받고 '우번 사건'에 대해 알게 된다. 이어서 잰은 우번에서 주민들을 만난 자리에서 처음에는 소송을 맡지 않겠다고 말하지만 다시 되돌아오는 길에서 강의 오염을 보고 마을의 식수원인 강의 상류에 자리잡은 그레이스사(W. R. Grace & Company)와 베아트리스 식품회사(Beatrice Foods Company)를 상대로 소송을 제기한다.

소장의 내용은 우번 소재의 이 두 회사가 화학물질을 부적절하게 처리해 두 개의 공동우물을 오염시켰고 아이들의 죽음을 초래했다는 것이다. 특히 피고회사들이 유독물질인 트리클로로에틸렌(trichloroethylene, 이하 'TCE')을 과실에 의해 폐기함으로써 원고들에게 백혈병이 발생했다고 주장했다.

이 사건 소장에서 원고가 제시한 소송원인은 과실에 의한 불법행위(negligence)와 불법사망(wrongful death) 및 의도적 고통(pain and suffering)과 생활방해(negligence)이다. 그리고 이에 대한 구제수단은 법률상의 보상, 유독물질의 배출금지와 배출된 유독물질의 제거, 유독물질에 의해 오염된 지하수 정화에 필요한 적당한 조치, 그 밖에 법원이 판단하기에 적당하다고 판단되는 구제수단이다.

한편 영화에서 그레이스사측 대리인인 윌리엄 치즈맨 (브루스 노리스 분)이 베아트리스사측 대리인인 제롬 패처(로버트 듀발 분)에게 "미연방민사소송규칙(Federal Rules of Civil Procedure, 이하 'FRCP') Rule 11에 따른 신청을 하는 것이 어떻겠냐"고 제안하자 패처가 "별 가능성이 없다"는 답변을 하고, 곧이어 치즈맨이 이 신청을 하자 사건이 배당된 연방지방법원의 스키너 판사(존 리스고 분)가 "케케묵은 조항을 끄집어 내 문제제기를 한다"고 신청을 기각하는 장면이 나온다.

Rule 11은 충분한 사전 조사 없이 근거나 증거가 없는 상태에서 일정한 소송행위를 하는 경우, 그 변호사를 제재하기 위한 규정이다. 즉 화해를 목적으로 근거 없는 청구를 하거나, 근거 없는 방어 방법을 고수하거나, 상대방에게 부당하게 부담스러운 증거개시(discovery)를 요구하거나, 증거개시에 회피적으로 응하거나, 근거가 희박한 신청(motion)을 하는 등의 행위는 법원의 소송절차를 지연시키며 불필요한 소송비용 증가를 초래하므로 이를 규제해야 한다는 것이다.

Rule 11에 의한 신청에 대해 스키너 판사가 실제 판단한 이유[93]를 보면 다음과 같다. "피고 그레이스사는 우선 원고가 소장에서의 주장을 뒷받침할 만한 충분한 근거를 가지고 있지 못하다고 주장한다. 그러나 원고의 답변서에 의하면 그 동안 연구와 사실조사를 진행했으며 연방환경보호청의 보고서도 그 오염의 원천이 그레이스사 공장 근처에 있다는 것을 알려준다. 또한 원고 측에서도 이러한 보고서의 자료를 조사하는 환경 전문 기사도 고용했는데, 그에 의하더라도 그레이스사가 오염원일 가능성이 있다. 이러한 정도의 정보라면 그레이스사가 우번 우물오염에 대해 책임이 있다고 믿을만한 충분한 이유가 있다고 판단된다. 또한 그레이스사의 두 번째 주장은 그레이스사가 버렸다고 주장하는 화학물질이 백혈병에 원인이 되었다는 원고의 주장은 충분히 신뢰할 만한 정보가 없다는 것이다. 그러나 원고는 TCE가 연방환경보호청에서 정하는 유독물질 목록에 있고 많은 건강상 문제를 야기시키는 것으로 알고 있으며 동물실험에서도 그 유독성이 입증된 바 있다. 그리고 원고는 TCE가 백혈병을 발생시킨다는 점에 대해 확정적 증거를 가지고 있지 않지만 우번에서의 백혈병 발생에 관한 통계적 증거상 TCE가 건강상 문제를 발생시키고 있다는 것만으로 TCE가 원고측 질병에 원인을 제공하고 있다고 믿을만한 충분한 이유가 있다고 판단된다"고 했다.

이후 영화는 잰이 자신의 사무실에서 증인들에 관한 질문을 하는 증거개시 절차 장면으로 이어진다. 증거개시는 사실심리에 제출될 증거들을 종합해 상대방에게 알리고, 상대방이 가지고 있는 증거 등을 살펴볼 기회를 가지며 앞으로 진행될 사실심리를 위해 증거를 보전함으로써 사실심리가 신속하게 진행될 수 있도록 하는 절차로, 증인 및 당사자에 대한 구술심문(deposition), 당사자에 대한 서면심문(interrogatory), 서류 및 물건의 제출(production of documents or things) 등으로 행해진다.

영화의 거의 마지막 장면에서 우번 사건 대리로 파산한 잰은 택시를 타고 가면서 항소에서는 승소할 확률이 거의 없다며 중얼거린다. 실제 우번 사건에서 잰은 1987년 베아트리스사를 상대로 항소(appeal)를 제기했다. 잰은 증거개시단계에서 베아트리스사의 대리인이 중요한 보고서를 건네주지 않았다는 사실을 발견했다. 이에 잰은 항소이유서(appellate brief)에 오염에 관해 그레이스사보다 베아트리스사가 더 큰 원인을 제공하고 있음에도 불구하고 배심원의 평결과 법원의 결정은 이러한 증거에 반하는 결론을 내리고 있다고 주장한다. 연방항소법원은 이에 대해 손해배상판결 부분에 대한 원고의 항소를 기각했다.

그러나 오염행위원인자의 정화조치의무와 금전배상책임을 규정한 종합환경배상책임법(Comprehensive Environmental Response, Compensation and Liability Act, 이하 'CERCLA')에 의해 연방환경청이 그레이스사와 베아트리스사 외 3개 회사가 오염된 부지의 정화비용으로 7000만불을 지급하기로 했고, 이에 따른 복구작업이 개시되었다.

실제 우번 사건은 사실심리 이전(pretrial)단계에서 증거개시절차에만 4년이 걸렸다. 4년 동안 130명의 증인에 대해 신문이 진행되어 약 24,000면의 서류가 작성되었다.

스키너 판사는 피고측의 요청에 따라 사건을 두 단계로 나누어 심리(bifurcate the case)하기로 결정하는데, 이는 사건이 ① 이 사건의 수문학적(the hydrological)인 부분, ② 의학적 부분으로서 문제의 화학물질이 원고들에게 손상을 입혔는가의 문제, ③ 구제수단의 문제로 손해배상액을 어떻게 산정할 것인지의 세 단계로 나누어 심리된다는 의미이다.

영화에서는 갑자기 전화를 받고 법원으로 달려온 잰이 스키너 판사가 복잡한 소송의 효율적 진행을 위해 FRCP 42(b)의 심리분리제도를 이용하겠다고 하자 판사에게 소리치며 반대하는 장면이 나온다. 잰이 화를 낸 이유는 피해자를 소송의 모두(冒頭)에 증인으로 출석시켜 그들의 억울한 사정을 배심원들이 직접 듣고 목격하게 함으로써 배심원들로부터 유리한 평결을 이끌어내는 소송전략을 세웠는데, 심리를 분리하면 이것이 불가능하기 때문이다.

심리를 분리하면 첫 번째 부분에 관한 결론이 긍정되어야 두 번째 부분에 관한 심리로 이행되고, 두 번째 부분에 대한 결론까지 긍정되어야 세 번째 부분에 대한 심리로 넘어간다. 즉 이 사건의 경우 사실심리의 첫 번째 단계에서는 오직 수문학적 문제에 대해서만, 두 번째 단계에서는 의학적 문제에 대해서만 그 분야의 전문가증인들의 참여 하에 심리가 이루어지게 된다.

그리고 이 장면은 사실심리전 협의(pretrial-conference)단계로 사실심리전 협의는 법관이 열고 당사자들과 사건에 대해 협의할 수 있는 기회를 가지고, 앞으로 준비절차의 진행을 계획하고, 사실심리 이전(pretrial) 단계에서 각종 절차에 대해 기한을 설정함으로써 사건의 진행을 촉진하고 가능한 한 쟁점을 좁히고 적절한 경우 화해를 유도하기 위한 목적으로 하는 절차이다(FRCP 16(c)).

실제 우번 사건에서는 제1단계 심리만 이루어졌고 그 결과 베아트리스사에 대한 배심원 판단은 인과관계에 대해 부정적이라 청구기각되었고, 그레이스사에 대한 청구에 대한 배심원 판단은 청구기초가 인정되어 화해로 종결된다.

영화에서는 사실심리가 이루어지는 동안 법정 밖에서 원고측, 피고측 변호사들이 법정 밖 복도에서 기다리는 장면이 나온 후, 스키너 판사가 이러한 내용으로 배심원 평결을 선고한다.

미국 민사소송절차는 과연 누구를 위한 제도인가?

실제 우번 사건[94]에서 사실심리의 첫 단계는 1986년 3월에 시작되었고, 모두 6명의 배심원과 2명의 예비 배심원이 선정되었다. 이들은 1986년 7월에 8일간의 평의(deliberation) 후 평결했다. 그 내용은 베아트리스사에 대한 주장은 충분한 증거는 없으나, 그레이스사는 과실에 의해 우물을 오염시켰다는 것이다. 그러나 배심원들은 그레이스사의 화학물질이 언제 그 우물을 오염시켰는지 결정할 수 없었다.

이에 스키너 판사는 베아트리스사에 대한 청구는 기각했고, 그레이스사에 대해 배심원 평결이 언제 우물이 오염되었는지에 관한 질문사항(interrogatories)에 대한 답변과 일치하지 않는다는 이유로 평결을 배척하면서 재심리(new trial)를 허용한다. 이처럼 평결과 다른 판사의 판단이 있자 원고들이 그레이스사와의 사이에서 화해를 할 근거가 생겼다. 결국 그레이스사는 자신의 불법행위를 부정했지만 원고들과 약 800만달러로 화해했다.

<시빌액션>은 <민사소송>이라는 영화 제목처럼 실제 일어난 '우번 사건'을 통해 미국 민사소송제도의 절차를 잘 보여준다. 또한 환경상 민사책임을 구하는 집단소송이 가지는 여러 가지 어려움을 잘 담아냄으로써 미국 민사소송 절차가 과연 진실발견을 목적으로 하는 것인지 아니면 단지 분쟁의 해결만을 목적으로 하는 것인지에 대한 문제를 제기한다.

✺ deep into the film ✺

미국 민사소송절차

미국 민사소송제도는 철저한 당사자주의(adversary system)의 채택으로 판사의 소송에서의 역할이 제한되어 있고, 배심제도(jury system)의 채택으로 재판절차가 간결하고 극적이며 배심을 감독하는 절차가 마련되어 있다. 이처럼 소송에서 판사의 역할이 제한적이고 배심의 역할이 확대됨에 따라 미국에서의 재판은 수시간·수일 또는 수주간 계속되는 집중심리 방식으로 진행되며, 휴정 등으로 장기간 연장되지 않는다. 그리고 이러한 집중심리를 위해 재판 전 단계에서 증거개시(discovery)나 사실심리전 협의(pretrial conference) 단계 등의 절차를 통해 당사자들이 본격적으로 재판이 시작되기 전 이미 당해 사건의 쟁점과 재판에서 제출될 증거에 대해 모두 파악할 수 있도록 한다. 이로 인해 실제 재판절차에서는 각 쟁점에 대한 당사자들의 입장과 관련 증거를 배심원 또는 판사에게 최대한 부각시키고자 하는 경쟁이 치열하게 전개되고, 재판과정에서 공정한 경쟁이 이루어질 수 있도록 구체적이고 엄격한 증거법 및 재판절차가 마련되어 있다.

한편 연방법원에서의 민사소송은 주로 연방민사소송규칙(FRCP)이 적용되고, 그 외 민사소송과 관련된 연방법률과 여러 하위법이 적용된다. 연방의회는 민사 절차규칙을 입법할 수 있는 권한을 연방대법원에 위임했고, 이에 기해 연방대법원에서 입법한 것이 FRCP이다. 따라서 FRCP에 대한 개정은 연방대법원이 제안하고, 의회의 반대가 없으면 그대로 시행된다. 주의 민사소송에는 각 주의 법률로 만든 민사절차법과 여러 가지 하위 규범이 적용된다. 각 주의 민사절차법은 기술적인 면에서 주마다 조금씩 다르다.

소송은 소답(pleading)으로 시작되는데, 소답은 당사자의 주장을 기재한 서면을 교환하는 절차 또는 그 서면 자체를 의미한다. 원고가 최초의 소답인 소장(complaint)을 법원에 제출함으로써 소송이 개시된다. 소장이 제출되면 법원은 소환장을 원고에게 교부하고, 원고가 소환장과 소장 부본을 피고에게 송달한다. 송달을 받은 피고는 법정기한 내에 답변서(answer)를 제출해야 한다. 원칙적으로 답변서 제출로 소답은 종료되고, 재답변서(reply)는 법원이 특히 허가한 경우에만 허용된다. 소답이 종료되면 사실심리 이전(pretrial) 단계에 들어가 증거개시가 행해지며, 소송의 진행에 관한 협의와 쟁점의 확정 및 증거조사 준비 등을 위한 사실심리 협의 단계가 이루어진다. 사실심리 이전 단계에서 90% 이상의 사건이 소송외 분쟁해결제도인 ADR(Alternative Dispute Resolution)을 통해 판결 이전에 종식된다. 사실심리 이전 단계가 끝나면 본격적인 소송절차인 심리(trial) 단계에 들어가는데 연방헌법상 소가 20달러를 넘는 보통법(common law) 상의 소송에 대해서는 배심에 의한 재판이 보장된다. 심리가 종료되면 제1심 판결이 선고된다.

제1심 판결에 불복이 있는 당사자는 항소법원에 항소를 제기할 수 있다. 항소절차는 연방항소절차규칙에 규정되어 있는데, 각 항소법원마다 별도의 규칙을 가지고 있다. 항소심에서는 제1심 소송기록과 변호사가 제출하는 준비서면(brief)에 의해 심리가 이루어지며, 구술변론도 행해진다. 사실심리는 1심 법원에서 종결되고 상소심은 법률심이므로, 항소법원에서 행해지는 구술 변론은 사실심리를 위한 것이 아니고 법률상 문제에 국한된다. 따라서 항소법원에는 배심 및 증인이 없다. 항소법원은 보통 3인의 법관으로 구성된 재판부의 다수결에 의해 원판결을 승인하거나 파기 또는 환송한다. 추가 입증이 필요한 경우에는 제1심 판결을 파기 환송해 하급심에서 이를 행하도록 한다. 하급심 법원은 소송사건이 환송되면 상급심 법원의 판단에 따라야 한다.

항소심 판결에 불복하는 당사자에게는 상고의 기회가 주어지지만, 권리상고는 극히 제한적으로 인정되며 일반적 사건은 대법원에서 재량에 의해 상고 허가 여부를 결정한다. 9인의 대법관 중 4인의 찬성으로 상고허가신청이 받아들여지면 본안에 관한 심리가 시작된다. 상고심에서의 심리는 법률심으로 사실에 관한 심리는 하지 않고 구술변론(oral argument)만 행해진다.

13

귀여운 여인,
634명 힝클리 주민의 집단소송을 해결하다.

스티븐 소더버그 감독, <에린브로코비치>(2000)

13

귀여운 여인, 634명 힝클리 주민의 집단소송을 해결하다.

스티븐 소더버그 감독, <에린 브로코비치>(2000)

미국에서의 집단피해 불법행위 사건

집단피해 불법행위 사건(mass tort case)은 불법행위로 인해 다수의 피해자가 발생한 경우를 말한다. 예를 들면 대형사고에 의해 많은 피해자가 발생한 경우(mass accident)이거나 하자 있는 상품에 의해 많은 사람이 피해를 입은 경우(mass product liability)이다.

미국 법원은 1980년대 중반까지 집단피해 불법행위 사건에 대해 배상액수의 결정 등 여러 가지 개별적으로 결정할 점을 들어 집단소송을 인정하지 않았다. 즉 공통되는 책임(liability) 등의 문제 외에 배상액을 정하는 것은 별도의 소송을 해야 하기 때문에 집단소송을 인정한다고 하더라도 결국 개별 소송으로 분쟁을 해결해야 되므로 집단소송의 인정 실익이 없다는 것이다.

그러나 1980년대 후반부터 집단피해 불법행위 사건에서 집단소송을 적극적으로 인정하기 시작했고, 이에 대한 중요한 선례가 된 사건[95]은 세계적 석면회사였던 존-멘빌주식회사(Johns-Manville Corp.)가 생산한 석면에 의해 피해를 입은 자들이 하자 있는 상품에 의해 피해를 입었다는 이유로 배상청구 소송을 제기하면서 시작되었다.

이 회사는 밀려드는 소송을 감당하지 못해 1992년 법정관리(bankruptcy)를 신청했다. 이후 회사는 비석면사업을 하는 멘빌(Manville Corp.)이라는 회사로 변경해 법정관리를 마치고, 석면 피해자에 대한 배상을 담당하는 트러스트(trust)를 설립했다. 이 트러스트는 현재와 미래의 석면 피해자에 대한 배상책임을 멘빌로부터 인수하면서 멘빌이 받을 보험금과 멘빌의 보통주 80%를 그 재원으로 설립되었다. 그러나 잠재적 배상청구자가 30만 명에 달하고, 그 이전에 존스-멘빌 회사(Johns-Manville Corp.)에 대한 석면피해 배상소송을 담당하고도 수임료를 받지 못한 변호사 비용이 막대했다.

이에 변호사들은 자신들의 수임료를 받기 위해 미연방민사소송규칙(Federal Rules of Civil Procedure, 이하 'FRCP') 23(b)(1)에 기초한 집단소송을 제기하고, 여기에서 화해로 해결하려 했다. 변호사들은 피해자들에게 배상액의 45% 정도를 받아주겠다고 했고, 피해자들은 이를 수락하지 않으면 이 조차도 받지 못할 것을 우려해 화해를 수락했다.

해당 법원은 "한정된 재원을 배분해야 하는 문제가 제기되었기 때문에 분쟁을 일거에 해결하기 위해 집단소송이 필요하고, 수십만 건의 동일한 소송이 제기되는 것은 사법의 마비를 가져올 수 있으므로 급박한 필요성이 있으며, 당해 사건이 FRCP 23 (a)의 요건을 충족하며, 소송을 제기하지 않은 다른 집단(class) 회원은 피고가 파산하면 배상을 받지 못하는 결과가 되기 때문에 다른 사람의 이익이 침해될 위험이 있다는 FRCP23(b)(1)의 요건을 충족한다"고 보아 집단피해 불법행위 사건에서도 집단소송을 인정했다.

미국 집단환경소송은 왜 화해로 해결되는가?

스티븐 소더버그 감독의 <에린브로코비치>는 1993년부터 1996년까지 미국 서부 캘리포니아(California)주 샌버나디노 카운티(San Bernardino County) 자치구 힝클리(Hinkley) 주민들이 태평양 가스 전기 회사인 대기업 PG&E(Pacific Gas and Electric Company, 이하 'PG&E')를 상대로 PG&E 공장의 유해물질 지하수 오염 집단소송(class action) 사건을 승소로 이끈 에린브로코비치(Erin Brockovich, 1960-)의 실화를 기반으로 제작된 영화이다.

영화는 두 번의 이혼 후 싱글맘으로서 어린 아이들 셋을 키우는 에린 브로코비치(줄리아 로버츠 분)가 구직 면접에 실패 후, 상대방 과실로 갑작스런 교통사고를 당하는 장면으로 시작한다. 이어서 목 보호대를 착용하고 법정 증언석에서 사건의 경위를 설명하는 에린에게 피고측 변호사가 반대심문을 하면서 "돈도 없고 양육하는 아이 셋에 무직이니 재규어(Jaguar)를 탄 의사가 돈줄로 보였겠죠"라며 에린의 감정을 폭발하게 만들고, 이에 분개한 에린이 거친 말을 함으로써 배심원단의 평결에 영향을 미치 패소한다.

에린은 자신이 사건을 의뢰한 매스리와 비티토(Masry & Vititoe) 법률사무소의 변호사인 에드 매스리(알버트 피니 분)에게 화풀이를 하고, 보상금도 제대로 받지 못하자 막무가내로 변호사 사무실에서 일하게 해달라고 억지를 부린다.

<에린 브로코비치>는 환경을 오염시킨 대기업의 비윤리성을 알리며 주민들의 생명과 인권을 보호한 에린의 용기와 실천을 담아냈다.

결국 에린은 변호사 사무실에서 모든 사건을 서류 파일(file)에 철해 알파벳(alphabet) 순서로 정리 및 보관하는 자료실 직원으로 일을 시작한다. 그러던 어느 날, 에린은 에드가 준 상자의 부동산 파일에서 의료 기록들과 혈액 샘플(sample)들이 포함되어 있는 것을 발견한다.

이 서류는 힝클리가 주소지인 도나 젠슨(마그 헬렌버거 분)에게 PG&E가 보낸 '부동산 구매 제안서'와 도나 젠슨의 '면역 독물학 환자의 결과 요약'이라는 병력 기록문이다. 에린은 양자 간의 관련성에 의문을 품고 에드를 설득해 자신이 조사할 수 있게 해달라고 요청한다.

에린은 라호탄 지역 수도국(Lahotan Regional Water Board)을 찾아가 수도국에서 PG&E에 보낸 '정화 및 폐기 명령 제6-87-160호'라는 서류를 복사한다. 화면은 바로 "크롬-6, 오염된 지하수, 크롬 오염물질, 북쪽 1마일까지 오염 확장된 상태" 등의 단어를 보여준다. 그리고 에린은 PG&E 회사에서 약 2백여명의 근처 주민들을 공장 창고에 초대해 설명회를 열고, 크롬-3이 몸에 좋다고 이야기했지만 회사가 실제 줄곧 사용한 것은 크롬-6이였다는 사실도 알아낸다.

또한 에린은 PG&E에서는 부식방지제로 사용한 크롬-6을 정화과정도 거치지 않고 연못에 다량으로 방류해 부근 일대의 지하수를 오염시켰고, 이처럼 연못에 버려진 크롬-6은 식수 허용 기준치 0.10 ppm의 1,000-5,000배를 초과한 수치였다. 보다 충격적인 것은 오염된 폐수가 사막열에 의해 공기 중으로 증발된 후 다시 토양에 침전되면서 지역 주민들이 흡입했다는 사실이다. 그런데 PG&E는 지난 14년 간 크롬-6을 상당량 사용했고, 그 유해성도 알고 있었음에도 불구하고 아픈 주민들에게 PG&E가 주선한 병원에서 치료를 받게 해주고 의료혜택을 베푸는 방법 등으로 크롬-6의 발암가능성을 숨기기 위한 술책을 써왔다.

이후 영화는 에린이 힝클리의 여기저기에서 연못 샘플(sample) 등의 증거를 수집하는 장면이나 힝클리 주민들에게 집단으로 손해배상청구소송을 하도록 설득하는 장면 등이 이어진다.

한편 에드는 엄청난 집단소송 비용 분담을 위해 힝클리 건에 대해 커트 포터(피터 코요테 분) 변호사와 파트너(partner) 계약을 체결한다. 포터는 고소인이 634명이라 한 번에 재판하기에는 너무 많은 수이므로 중재가 최선이라고 말하지만, 에린은 주민들이 재판을 기대하고 있다는 사실을 강조한다. 그러나 1987년 이전까지 PG&E 본사가 힝클리의 수질 오염을 알면서도 아무런 조치를 취하지 않았다는 샌프란시스코 본사와 힝클리를 연결하는 결정적 증거가 전무하다.

그리고 이어지는 '힝클리 커뮤니티 센터' 장면에서 에드는 중재에 대한 불신으로 가득찬 참석 주민들에게 소송으로 가면 10년 이상 소요될 수 있으므로 손해배상액이 만족스럽지 않더라도 중재 양도계약서에 서명해 줄 것을 설득한다. 그리고 에드는 이때 '러브 캐널(Love Canal)' 사건을 예로 든다.

러브 캐널 사건은 유독성 화학폐기물 사고의 상징적 사건으로 1980년 종합환경배상책임법(Comprehensive Environmental Response, Compensation and Liability Act, 이하 'CERCLA') 제정의 직접적 도화선이 되었다. CERCLA는 1980년 미국 의회가 유해물질로 오염된 부지를 신속하고 효과적으로 정화하고, 그 비용을 책임당사자에게 부과하기 위해 제정한 법률로, 유해물질의 발생과 수송 및 관리에 관여한 자에 대해 책임을 부담시킨다. 그리고 이 책임은 엄격책임이자 연대책임(strict and joint liability)으로 판례법상 소급적으로 책임을 부담하도록 되어 있다. 또한 유해물질에 의해 오염된 시설 등을 스스로 정화 내지 환경보호청 등이 그 정화에 필요한 비용의 전보배상책임을 부담시킬 수 있는 잠재적 책임대상자는 (i) 시설의 현재 소유자(owner)·관리자(operator), (ii) 시설의 과거 소유자·관리자, (iii) 유해물질의 발생자(generator), (iv) 유해물질의 수송자(transporter)이다. 잠재적 책임 당사자는 환경보호청 등이 동법에 의해 시설 등을 정화한 경우, 그 정화 비용에 관한 전보배상책임을 부담해야 할 수도 있다. 이 경우 최종적으로 잠재적 책임당사자로 확정되어 그 비용을 지불할 때까지 당분간 환경보호청이 그 비용을 부담할 필요에 의해 이 비용지불 등에 충당할 목적으로 유해물질 대처신탁기금(Superfund)이 창설되었다. 잠재적 책임당사자가 분명하지 않거나 비용부담능력이 없는 경우에도 대처신탁기금에서 비용이 지출된다.

러브 캐널 사건에서는 후커 화학(Hooker Chemical)의 모(母)회사인 옥시덴탈 화학회사(Occidental Chemical Corporation)가 1995년 정화비용으로 연방정부에 1억2천5백만 달러를 지불했다. 그러나 오염행위자의 민사적 배상책임에 대해서는 특별한 내용이 없었기 때문에 다시 민사소송 등의 구제수단을 취해 1983년 전·후부터 러브 캐널 사건의 종전 주민들이 옥시덴탈 회사에 대한 손해배상청구사건을 연이어 제기했다. 그 결과 소제기 시점부터 15년 이상, 사건이 발생한 이후부터 약 20년 이상 지난 후인 1998년 3월, 화해(settlement)가 이루어지고 모두 2300가족이 화해금으로 각 83달러에서 40만 달러를 받았다.

에드의 설명을 들은 참석자들 전원이 서명했지만, 여전히 150장이 부족하다. 에린은 집집마다 방문하여 634명 전원 서명을 받아 냈고, PG&E 압축기 부서에서 일했던 찰스 엠브리(트레이시 월터 분)의 증언도 확보한다. 그는 어느 날 상사가 창고에 가서 보관해 둔 서류를 문서절단기로 전부 처분하라는 지시를 받았는데, 그 때 연못의 수질에 관한 메모, 실험용 우물에 관한 기록도 있었다고 말하면서 지시를 그대로 따르지 않았음을 암시한다. 그리고 에린은 "물은 오염되었지만 모두 기밀에 붙이고 주민에게 누설하지 말 것"이라는 내용이 담긴 PG&E 내부서류를 결정적 증거서류로 확보한다. 이 서류는 PG&E 본사에서 힝클리로 내린 지시로 1966년 3월자 소인으로 되어 있었다.

시간이 흐른 후, 에린은 판사가 PG&E 측이 주민 전체에게 배상하도록 한 배상금은 3억 3천 3백만 달러이며, 젠슨 가족에게는 5백만 달러를 배상하도록 한 결정을 도나 젠슨에게 알리고, 영화는 새로운 사무실로 이전한 매스리와 비스토 법률회사에서 힝클리 건보다 더 복잡한 케틀먼 힐스(Kettleman Hills) 공장 관련 사건을 맡은 에린이 차를 몰고 주소지를 찾아가는 장면으로 끝난다.

이른바 '에린 브로코비치' 법안 통과

영화 <에린브로코비치>는 1993년 고소장이 접수되기 9개월 전 시점에서 시작되며 실제 소송사건을 다루었지만, 재판 과정보다는 에린이 이 사건에 어떻게 관심을 가지기 시작했으며, 에린과 에드가 소송을 준비하는 과정에서 힝클리 주민들을 직접 방문하며 이루어지는 인간적 교류에 보다 초점을 둔다. 또한 에린이 대기업의 비윤리성을 알고 이를 널리 알려 주민들의 생명과 인권을 보호하려고 했던 용기와 실천을 영화 전반을 통해 부각시킨다.

당시 PG&E 공장에서 사용했던 발암성 독성물질 크롬-6은 가스압축 엔진의 과열을 막기 위해 엔진에 물을 넣을 때 쓰는 녹방지용 화학물질로, 일정량의 크롬-6에 반복적으로 노출될 경우 코피, 만성 두통, 호흡기 질환, 간 기능 부전, 심부전, 불임, 뼈와 기관의 퇴화 등 각종 질병을 일으키며 심지어 디옥시리보핵산(DNA)에 들어가면 유전의 위험도 있는 물질이다.

<에린브로코비치> 개봉 이후 미국 환경국 보호 조사국은 샌 페르난도(San Fernando) 벨리(valley)의 24개 지하수 우물과 벨리 지역의 80개 연방 지하수를 모니터링(monitoring)했는데, 이때 30개 지하수에서 힝클리 주민들에게 해로운 영향을 끼친 무취의 독성 화학물질 크롬-6이 검출되었다.

에린브로코비치는 2000년 9월 15일, 로스앤젤레스(Los Angeles)의 시의회에 출석해 지역 식수의 화학물질 위협에 대해 묵살한 관리들의 태도를 비난했고, 시의회는 캘리포니아 주지사 그레이 데이비스(Gray Davis, 1942-)에게 크롬 오염 식수에 대한 조사의 가속화를 요구하는 법안인 SB 2127에 서명하도록 촉구했다.

2000년 9월 29일, 데이비스는 SB 2127에 서명했고, 이는 이른바 '에린브로코비치 법안(The Erin Brockovich Bill)'으로 알려진다. 이 법안은 캘리포니아 주 보건복지부가 2002년 1월까지 로스앤젤레스 식수의 15%를 공급하는 샌 페르디난도 벨리 대수층의 크롬-6의 양을 측정해 주의회에 보고하도록 되어 있다.

● deep into the film ●

미국 집단소송(Class Action)

집단소송은 한 사람 또는 일부 사람들이 공통된 이익(common interest)을 가진 집단(class)을 대표해 소송하고 그 소송결과가 소송을 하지 않은 집단의 구성원에게도 구속력을 가지게 하는 것을 말한다. 연방법원과 대부분의 주 법원의 집단소송 요건은 유사하다. 다수의 원고를 대표해 일부가 소송을 제기하는 집단소송이 제기된 경우, 법원은 초기 단계에서 집단소송으로 인정(certification)되었다고 하더라도 소송 도중에 부적절하다고 판단되면 언제라도 집단소송으로 인정하지 않는다는 결정을 할 수 있다.

FRCP 23에 규정된 집단소송의 요건은 다음과 같다. ① 집단 회원의 수가 너무 많아 모두 당사자로 참가하는 것이 비현실적이어야 한다(FRCP 23(a)(1)). ② 집단에 대해 공통의 법적인 또는 사실적인 문제가 있어야 한다(FRCP 23(a)(2)). ③ 대표자인 소송당사자의 이익이 해당 집단의 전형적인 경우에 해당해야 한다(FRCP 23(a)(3)). ④ 소송당사자인 대표가 소송에 참가하지 않은 집단 회원의 이익을 적절하게 대표(fair representation)할 수 있다는 것이 보장되어야 한다(FRCP 23(a)(4)). ⑤ (i) 집단 회원의 소송을 분리하는 경우 모순되는 판결의 위험이 있거나 소송에 참가하지 않은 회원의 이익을 해칠 위험이 있거나(FRCP 23(b)(1)), (ii) 피고가 집단에 일반적으로 적용되는 작위나 부작위를 해 이 작위나 부작위를 하도록 하거나 또는 금지된 선언적 구제가 집단 회원 전부에 대한 적절한 구제책이거나(FRCP

23(b)(2)), (iii) 집단 회원들에 대한 공통적인 사실상 또는 법적인 이슈가 있고 이것이 각 집단 회원들에 대한 개별적인 이슈를 압도하고 집단소송이 다른 구제수단에 비해 우월한 것이어야 한다(FRCP 23(b)(3))는 (i)-(iii) 요건 중 하나에 해당되어야 한다.

이러한 실체적 요건 외 집단 회원들에게 집단소송의 제기에 대해 적절한 통지를 해야 한다는 절차적 요건도 요구된다.

한편 집단소송으로 인정되면 집단의 모든 회원은 소송결과에 구속된다. 다만 이러한 요건 중 ⑤의 (iii)에 해당하는 집단소송의 경우 회원 중에 그 결과에 대해 구속받고 싶지 않은 자는 집단에서 탈퇴(opting out)할 수 있다. 탈퇴한 자는 자신에게 불리한 판결이 난 경우 뿐만 아니라 유리한 판결이 난 경우에도 그 판결의 효력을 자신에게 유리하게 원용할 수 없다.

만약 법원이 집단소송을 인정하지 않으면 대표로 거명된 자에 의한 소송으로 되고 이들이 소송을 진행한다. 이 경우에는 집단의 다른 회원들이라고 주장된 자에 대해서는 판결의 기판력이 미치지 않는다. 그리고 이러한 법원의 결정은 최종선고(final order)이고, 그 자체는 항소(appeal)의 대상이 되지 않는다.

소송을 수행하는 집단소송의 대표자가 피고와 화해(settlement)를 하고 이것이 소송의 당사자가 아닌 집단 회원에게 구속력이 인정되면 이로 인해 소송의 당사자가 아닌 회원의 이익을 해할 위험이 있다. 따라서 이를 방지하기 위해 집단소송에서 화해를 하기 위해서는 법원의 승인을 얻어야 한다.

집단소송에서 승소하면 상대방에게 집단소송을 담당한 변호사의 비용을 배상하도록 하는 경우가 일반적이지만, 연방법(fed eral statute)에 의한 집단소송에서는 법률에서 변호사 비용을 지급하도록 한 경우에만 변호사 비용을 배상액수에 포함시킨다. 이러한 규정은 대부분 인권침해를 이유로 한 집단소송을 인정한 법률에 규정되어 있다.

14

포기를 모르는 주디,
미국 이민법 판례를 뒤집다.

✹

숀 해니시 감독, <세인트 주디>(2018)

14

포기를 모르는 주디, 미국 이민법 판례를 뒤집다.

숀 해니시 감독, <세인트 주디>(2018)

트럼프 대통령의 반(反)이민정책

2016년 11월 8일 미국은 제45대 대통령 선거를 실시했고, 그 결과 도널드 트럼프(Donald Trump) 공화당 후보가 당선되었다. 트럼프 대통령은 대통령 선거 경선 당시 '미국을 다시 위대하게(Make America Great Again)'라는 기치 아래 논란이 된 정책들을 제시했고, 특히 그 중에서도 이민 관련 부분 정책들이 국내·외적으로 많은 파장을 일으켰다. 그가 '미국을 다시 위대하게 만들 이민개혁(Immigration Reform That Will Make America Great Again)'이라는 목표 하에 제시한 이민정책은 다음의 세 가지 원칙에 근거한다.

첫째, "국경이 없는 국가는 국가라고 할 수 없다"라는 원칙 아래 "남부 국경에는 반드시 장벽이 있어야 한다"고 강조함으로써 멕시코 정부와 멕시코의 불법 이민자들을 겨냥했다. 둘째, "법이 준수되지 않는 국가는 국가라고 할 수 없다"고 함으로써 "헌법상 정부체계에 합치되는 법안들은 반드시 집행되어야 한다"고 했다. 셋째, "자국민을 위하지 않는 국가는 국가가 아니다"라고 함으로써 "모든 이민정책이 미국민들의 일자리, 급여, 안보에 도움이 되는 것이어야 한다"고 했다.

그리고 이러한 3대 핵심원칙 하에 (i) 멕시코에 장벽 건설 비용 전가, (ii) 이민세관단속국(Immigration and Customs Enforcement, 이하 'ICE')인력의 확충, 전자신원확인 시스템의 전국 확대, 사증의 체류 기간을 어길 경우 처벌 강화, 범죄 전력이 있는 이민자 추방 등으로 불법으로 미국 내 체류 중인 이민자들을 색출하고 추방하는 데 초점을 두는 정책강화, (iii) 미국인 노동자 우선주의 이민정책 기조를 제시했다.

또한 2017년 1월 29일 공식 출범한 트럼프 행정부는 이민에 관한 행정명령 13769호인 '외국인 테러리스트의 미국입국으로부터 국가보호(Protecting the Nation from Foreign Terrorist Entry into the United States)'를 발령했다.

행정명령 공포 이후 지방 정부 차원에서 행정명령에 반대하는 각종 소송이 제기되었고, 일부 하급 법원에서 효력 중지판결을 받게 되었다. 이에 백악관은 항소를 제기했고, 연방 항소법원은 "행정명령 13769호가 미치는 영향력의 범위가 지나치게 즉각적이고 포괄적이며, 행정명령의 효력을 중지함으로써 국가가 급박한 위험에 처했다고 볼 만한 충분한 근거가 없으며, 행정명령도 사법적으로 다툴 수 있는 대상이라는 점을 들어 행정명령 13769호의 효력을 중지시킨 하급법원들의 판결을 유지한다"고 판시했다.[96]다만 행정명령 13769호에 대해 여론의 비판이 가장 컸던 종교적 차별, 즉 무슬림에 대한 차별대우에 대한 부분에 대해서는 법원은 판단을 유보했다.

트럼프 행정부는 항소심 판결 후 2017년 3월 7일, 일부 내용을 수정 후, 새로운 행정명령 13780호를 내려 기존 행정명령에 적시되었던 이슬람 국가 7개국(이란, 리비아, 소말리아, 수단, 시리아, 예멘, 이라크)에서 이라크를 제외했다. 트럼프 행정부는 이라크 정부가 이슬람국가(IS) 소탕작전에서 미국에 막대한 기여를 하고 있다는 점을 들어 이라크를 배제했다. 그리고 시리아 난민에 대해 무기한 입국금지를 내렸던 기존 명령을 일시적 제한으로 수정하고, 종교적 차별로 인한 난민신청자에 대해 우대 처분을 보장했던 내용을 삭제했다. 또한 기존에 난민의 지위를 허용했던 신청자에 대해 그 지위를 유지하도록 했으며, 구체적 사유를 들어 이라크를 제외한 나머지 6개국이 왜 행정명령에 적시되어야 하는지 그 이유를 설명했다.

그러나 수정 행정명령이 발표되자마자, 각종 소송이 제기되어 수 개월 간 지방법원과 연방법원을 거친 후인 2017년 6월 26일에 수정 행정명령도 연방대법원의 판단을 받게 되었다. 판결문의 주요 내용은 "행정부의 요청에 따라 이란, 리비아, 소말리아, 수단, 시리아, 그리고 예멘 국적자들에 대한 미국 입국을 90일간 유예하며, 난민들의 미국 입국을 120일간 허용한다"는 것이다. 다만 "이미 사증을 발급받은 자들의 미국입국은 허용되어야 하며, 미국을 입국하려는 자가 미국 내 개인 또는 기관과 '진정한 연고(bona fide relationship)'가 있는 경우에는 비자 발급을 제한할 수 없다"는 단서를 두었다.

한편 한시적으로 허용했던 행정명령 13780호에 의한 미행정부의 이민 및 미국 입국 관련 조치들에 대해 2018년 6월 26일 연방대법원에서 트럼프 행정부의 이민행정명령에 대해 5대4로 합헌 결정[97]이 내려짐으로써 트럼프 행정부는 법적 견제를 받지 않고 이민규제를 추진할 수 있게 되었다.

"나는 절대 포기하지 않을 것이다."

숀 해니시 감독의 <세인트 주디>는 이러한 트럼프의 인종차별적 이민정책에 맞서는 항의적 성격이 강한 영화로, 정치적 위협에 대해서는 보호하지만, 이슬람 여성이 겪는 위협에 대해서는 보호하지 않는 미국의 '이민법'을 바꾸기 위해 끈기있는 투쟁을 한 변호사 주디 우드(Judy Wood)의 실화를 바탕으로 제작되었다.

<세인트 주디>는 주디 우드 변호사가 어느 한 이슬람 여성의 변호를 맡아 미국의 이민법 판례를 뒤집는 실제 여정을 담아냈다.

영화는 주디 우드(미셸 모너핸 분)가 맡은 형사 사건의 한 법정 장면에 이어 아들이 이혼한 남편과 함께 시간을 보낼 수 있도록 하기 위해 캘리포니아(California)로 떠나는 모습으로 시작한다. 주디는 캘리

포니아에서 이민 전문변호사로 아프카니스탄 출신의 여교사 아세파 아슈와리(림 루바니 분)의 변호를 맡는다.

1990년대 초, 아세파는 아프카니스탄에서 여자 아이들을 위한 학교를 세우고 글을 가르쳤다는 이유로 탈레반에 의해 체포된 후 성폭행을 당한다. 그 후 미국의 망명제도를 통해 자신의 신변을 보호받고자 했으나 미국은 아세파에게 추방명령을 내린다.

이러한 강제출국 절차는 국토안전부(United States Department of Homeland Security, 이하 'DHS') 내의 기관인 ICE와 관세국경보호청(Customs and Border Protection, 이하 'CBP')이 이민법 집행에 있어 특정 개인에게 강제출국 절차를 개시할 것인지, 외국인의 강제출국에 대한 구제요청을 인용할 것인지 여부 등에 있어 상당한 재량권을 행사한다. 그리고 불법이민개혁법(Illegal Immigration Reform and Immigrant Responsibility Act, 이하 'IIRIRA')에 의해 추가된 이민국적법(Immigration and Nationality Act, 이하 'INA')은 "절차의 개시, 사건의 판정 또는 강제출국명령의 집행에 관한 결정은 사법심사의 대상이 되지 않는다"고 규정한다(제242조(g)).

이러한 이민행정청의 재량권 행사에 대해 1999년 르노 대 아메리카-아랍 차별철폐위원회(Reno v. American-Arab Anti Discrimination Committee) 사건에서 자신들이 정치적 소수단체(People's Front for the Liberation of Palestine)에 소속되었다는 이유로 강제출국명령 대상이 된 일군의 외국인들이 문제를 제기했다. 연방지방법원에서는 원고들이 선별기소되었다고 판단하며 이러한 강제출국에 대해 정지명령을 내렸다. 그리고 제9순회 항소법원도 이 결정을 원용했다.

그러나 연방대법원은 항소 계속 중 제정된 이민국적법이 동법의 절차개시결정에 대한 사법심사를 배제하고 있음을 이유로 이를 파기했다.[98]

한편 아세파는 자신이 만약 본국으로 추방되면 부(父)와 남자 형제들에 의해 명예살인(honour-related crimes)을 당하게 될 것이라며 망명을 호소하지만, 미국 이민법원은 "망명법에 의해 여성이라는 이유로 받은 탄압과 위협은 정치적 견해에 따른 박해일 수 없다"며 아세파의 망명을 불허한다.

이민법률사무소 대표인 레이(알프레드 몰리나 분)는 주디에게 "아세파를 변호하는 것은 실수이고, 세상을 바꿀 수도 없다"고 말한다. 그리고 정부 소속 이민 변호사인 벤자민(로니 라시드 린 주니어 분)은 9/11 사태 이후 자신이 소속된 기관의 기관명이 이민귀화국(Immigration and Naturalization Services, 이하 'INS')에서 ICE로 바뀌었으므로 주디는 승소가능성이 없다고 한다.

그러나 주디는 영화 속 버스 정류장의 벤치(bench)에 붙어 있는 자신의 변호사 사무실 광고 문구인 "나는 절대 포기하지 않을 것이다"처럼 끝까지 포기하지 않았다. 그 결과 제9연방 순회 항소법원에서 "아세파가 당한 고통은 여성이기 때문이 아니라, 국가가 여성을 대상으로 가한 폭력이며 따라서 정치적 문제로 보아야 한다"며 그 동안의 선판례를 모두 뒤집는 판결을 이끌어내며 영화는 끝난다.

이주노동자가 급증하는 한국

행정안전부가 통계청의 인구주택총조사 자료를 분석해 발표한 '2022년 지방자치단체 외국인 주민 현황'에 따르면 2022년 11월 기준 3개월 초과 국내 장기거주 외국인 주민 수는 약 226만명에 달한다. 그러나 국가인권위원회가 2019년 3월에 발표한 '한국 사회 인종차별 실태와 인종차별 철폐를 위한 법제화 연구'에서는 "이주민 중 언어적 비하를 경험한 자가 56.1%에 해당하며, 한국인과 이주민 간에 위계적 구분이 존재한다는 인식이 바로 인종차별"이라고 한다. 이러한 차별적 인식은 이주 노동자들에 대한 혐오인 '외국인 혐오증(xenophobia)'으로 변질될 가능성이 크다. 특히 경제 상황이 좋지 않을 경우 이들이 내국인들의 일자리를 빼앗는다는 단순한 보호주의와 배타성으로 외국인 노동자에 대한 통제와 제한은 더욱 심해진다.

한편 한국은 1992. 12. 13. '난민의 지위에 관한 협약(Convention Relating to the Status of Refugees)'과 '난민의 지위에 관한 의정서(Protocol Relating to the Status of Refugees)'에 가입하면서 협약상 난민보호의무를 부담하게 되었고, 출입국관리법에 난민심사에 관한 조항을 신설해 1994. 7. 1.부터 난민심사제도를 운영하기 시작했다. 그리고 2012. 2. 10. 난민법이 제정되었다.

난민법 제2조는 "인종, 종교, 국적, 특정 사회집단의 구성원인 신분 또는 정치적 견해를 이유로 박해를 받을 수 있다고 인정할 충분한 근거가 있는 공포로 인해 국적국의 보호를 받을 수 없거나 보호받기를 원하지 않는 외국인 또는 이러한 공포로 인해 대한민국에 입국 전 거주한 국가로 돌아갈 수 없거나 돌아가기를 원하지 않는 무국적자인 외국인"을 난민으로 정의한다.

난민법은 이전의 출입국관리법 하에서는 없던 출입국항 난민인정신청제도를 도입해(제6조), 외국인이 출입국항에서 난민인정신청서를 제출하면 난민심사절차에 회부할 것인지를 결정하는 회부심사가 이루어지게 했다. 법무부장관은 난민인정신청서가 제출된 날로부터 7일 이내에 난민인정심사에 회부할 것인지를 결정하고, 만약 그 기간 내에 결정하지 못하면 그 신청자의 입국을 허가해야 한다. 그러나 난민법 시행 이후 최근까지의 회부율을 보면 난민신청자에게 정식으로 난민인정심사절차에 접근할 기회조차 주어지지 않았다. 2019년의 경우 회부율이 7.5%에 불과했고, 10명 중 9명은 정식 난민 심사 기회도 받지 못한 채 송환지시를 받아 출국했다. 또한 불회부결정을 받은 난민신청자가 유일한 구제수단인 행정소송을 제기하는 경우 장기간 출입국항에 머무르는 상황이 발생하면서 이들에 대한 열악한 처우에 대한 문제가 지속적으로 제기되었다.

한편 법무부는 재신청을 하는 경우, 외국인 노동자 또는 유학생 등 다른 체류자격으로 체류하다가 난민신청을 하는 경우, 체류기간이 도과한 상태에서 난민재신청을 하는 경우 등 유형화된 특정 난민신청자에 대한 체류지침을 강화해 체류연장을 거부하거나, 출국명령을 내리고 심사가 진행되는 동안 체류자격 없이 출국만 유예시키는 정책을 시행했다. 그리고 이를 통해 난민재신청을 억제하고, 이러한 유형의 난민신청자에 대해 '체류연장 목적의 남용적 난민신청자'라는 낙인을 찍어 왔다.

또한 법무부가 난민법 제8조 제5항을 근거로 난민신청을 제한하는 과정에서 중대한 인권침해 상황이 계속해서 발생했고, 법원은 이에 대해 위법함을 확인하는 판결[99]을 내렸다.

세이무어 마틴 립셋(Saymour Martin Lipset, 1922-2006)은 『민주주의 백과사전』(*The Encyclopedia of Democracy*)에서 포퓰리즘(populism)을 "보통 사람들의 이익, 문화적 특징 및 자발적 감정을 엘리트들의 그것들과 대항해 강조하는 정치적 운동"으로 정의한다. 따라서 이들은 자신들을 정당화하기 위해 주로 집단적 결집이나 대중민주주의의 다른 형태를 통해 다수에 호소하므로 견제 및 균형이나 소수의 이익은 간과되기 쉽다. 이러한 맥락에서 종교·언어·혈통·관습 등 문화적 요소에 기초해 구분하고 여론을 주도하는 대중주의에 기반하며, 이민자 문제를 쟁점화해 정치적 입지를 확보하는 기회로 삼는다. 그 결과 이주민에 대한 반발이 극우적 성향으로 확대되는 모습을 보이고, 이는 세계화가 가속화되고 노동력이 약화되면서 이주노동자가 급증한 한국에서도 이미 진행 중인 모습이다.

<세인트 주디>는 외국인 난민 신청자에 대해 우리는 과연 어떤 자세를 취해야 하는지에 대한 숙고를 요청한다.

● deep into the film ●

미국 이민법원

미국 이민법원은 법무부 산하 기관인 이민심판행정사무소(Executive Office for Immigration Review, 이하 'EOIR')의 일부로, EOIR에서 관장한다. 외국인이 미국에 체류할 수 있는 권한이 있는지 미국을 떠나야 하는지를 결정하는 행정법원으로 이민법원에서 이루어지는 심사는 이민판사가 담당한다. 이민법원의 심사는 (i) 추방대상 범죄를 저질러 유죄 판정을 받았거나 추방 대상 범죄로 인한 구금에서 석방된 외국인, (ii) 미국 국경을 불법으로 건너오다가 체포된 자, (iii) 미국에서 망명 또는 핍박으로부터 보호를 요청하는 외국인, (iv) 미국에 불법으로 있다고 의심되어 ICE에 의해 구금 후 추방 대상자가 된 외국인을 대상으로 한다.

일반적으로 이민법원 심사절차는 '신속퇴거·제거(expedited removal)' 대상인 소수 외국인을 제외한 추방 대상자가 일단 지정일시에 이민법원에 출두하라는 통보를 받는 것으로 개시된다. 법원 심사를 거쳐 이민 법원 판사의 결정에 불복할 경우 결정일로부터 30일 이내 이민항소위원회(Board of Immigration Appeals, 이하 'BIA')에 항소를 제기할 수 있다.

BIA는 미국 법무부 산하기관으로 이민법을 해석하고 적용하는 최고 행정기관이다. 위원회가 심사할 수 있는 항소 사건은 다음과 같다. (i) 퇴거·제거, 추방 및 배제 소송절차에 대한 이민 판사의 결정, (ii) 망명, 추방 보류, 퇴거·제거 보류, 임시보호지위,

고문방지협약 및 기타 경감에 대한 이민 판사의 결정, (iii) '부재중(in absentia)'에 진행된 소송의 재심사 신청에 대한 이민판사의 결정, (iv) 지위변경의 폐지에 대한 이민 판사의 결정, (v) 보석, 가석방 또는 감금에 대한 결정, (vi) 가족 이민 청원, 가족 이민 청원의 기각, 고아를 제외한 가족 이민 청원의 갱신에 관한 국토안보부의 결정, (vii) 이민국적법에 의한 입국금지 대상자에서 면제된 비이민자에 관한 국토안보부의 결정, (viii) 행정 벌금(fines) 및 처벌(penalty)에 대한 국토안보부의 결정이다.

BIA의 결정은 '행정상 최종적(administratively final)'이며, 이민 판사 및 국토안보부 임원에게 그 판결의 구속력을 행사할 수 있다. 이민항소위원회(BIA)의 결정은 연방행정절차법에서 행정전치주의를 채택하고 있는 미국의 법체계에서 항소인의 사법심사청구 권한에 영향을 주기 때문에 중요하다. 이민서비스청의 결정에 이의를 제기해 행정항소사무소의 재심을 받았으나 그 결정에도 불만을 가져 사법심사를 구할 때, 지역순회연방법원에 사건을 접수해도 BIS의 결정단계까지 거치지 않은 경우에는 행정절차법 위반 사유로 사법심사의 대상이 되지 않을 수 있기 때문이다.

BIA가 이민 판사의 결정을 지지하고 항소신청을 기각할 경우, 신청인은 재심사나 재고려를 신청할 수 있다. 이 경우 이민서비스청의 결정에 대해 행정항소사무소에 재심사 또는 재고려 신청을 하는 것과 동일한 절차가 적용된다.

BIA의 최종 결정이 내려진 경우, 법원에 사법심사를 구할 수 있는데, 연방순회항소법원(U. S. Circuit Court of Appeals)에 항소를 제기할 때, BIA가 항소인의 청원을 기각한 최종 결정일로부터 30일 내에 관할권이 있는 연방순회항소 법원에 위원회의 결정에 대한 심사를 청구할 수 있다. 그러나 30일이 경과하기 전 행정절차에 의해 추방될 수도 있다. 연방순회항소법원의 심사는 이민소송의 마지막 단계이다.

15

올드펍,
환대와 연대의 공간이 되다.

✹

켄 로치 감독, <나의 올드 오크>(2023)

15

올드 펍, 환대와 연대의 공간이 되다.
켄 로치 감독, <나의 올드 오크>(2023)[100]

영국정부의 반(反)난민정책 강화

2016년 6월 23일 영국은 국민투표를 통해 유럽연합 탈퇴 결정 후, 2021년부터 브렉시트(Brexit)가 현실화되었는데, 이러한 배경 이면에는 여러 가지 이유가 있지만 대의민주주의 전통에 위배되는 영국 주권에 대한 훼손과 외국인 혐오와 난민에 대한 인종주의, 양극화가 심화되면서 소외당한 계층의 불만이 표출된 점 등을 들 수 있다.

1979년부터 1990년까지 집권한 마거릿 대처(Margaret Thatcher, 1925-2013)는 1979년 당시 집권당인 노동당으로부터 정권을 이양받은 후, 이전 보수당이 견지했던 유연한 정책을 과감히 버리고 시장과 노동영역에서 대대적 변화를 감행했다. 규제를 완화하고 경쟁을 촉진시키고 국유화 정책을 포기하고 민영화에 박차를 가했다. 이러한 정책들로 경제적 불평등이 심화되었고, 복지가 축소되었다. 또한 철강과 석탄 같은 제조업이 몰락하면서 중서부나 북부 지역은 극빈지역으로 분류되었다.

이후 대처는 1982년 포클랜드 전쟁(Folklands War)에서 승리하면서 1983년 재집권에 성공했다. 그리고 낙후된 탄광들을 폐쇄했다. 노조는 이에 반발해 1984년 총파업을 1년 이상 감행했으나 1985년 정부에 굴복하면서 노동자들의 삶은 더욱 더 궁핍해졌다.

대처의 정책들은 이른바 '대처리즘(Thatcherism)'으로 불리며 2차 세계대전 이후 보수당과 노동당 간 합의로 이루어진 '케인즈주의적 복지모델'에 기반을 두고 강한 영향력을 행사하던 노동조합의 정치세력화를 저지했고, 신자유주의 정책으로 표출되었다. 또한 보수주의와 탈규제 및 민영화로 재편된 대처의 신자유주의 경제정책 간의 결합은 국가를 계급과 노조에 대립되는 개념으로 부각시키며 대중적 지지를 확보하면서 극우적 포퓰리즘(populism)으로 나타났다.

한편 영국은 1957년 보수당 맥밀란(Maurice-Harold Macmillan) 정부 이후 당시 노동 문제를 해결하기 위해 서인도제도와 파키스탄 영연방국가로부터 난민 장려 정책을 시행했고, 1960년대까지는 노동자로서의 유대감이 존재했다. 그러나 1970년대 후반 난민들이 집단화되는 경향을 보이자 영국 정부는 이를 통제하고자 1979년 국적법(Nationality Act)을 제정해 영국 영토에 들어오는 난민들을 제한했다. 대처 시대에는 경제가 어려워지고 소외계층이 증가하면서 이들에 대한 반감은 더욱 커졌다.

특히 2010년 이후 반난민정책을 강하게 내세운 영국독립당(UK Independence Party, 이하 'UKIP')의 정치적 입지가 확대되면서 캐머런(David Cameron) 총리는 유럽연합 개혁을 조건으로 내세운 정치적 선택을 했다. 보수당과 노동당의 양당 체제를 100년 이상 유지해 온 영국에서 UKIP는 1991년 마스트리트조약(Maastricht Treaty) 합의에 반대하던 일부 정치인들이 주축이 되어 1993년 9월 창당 후, 경제위기와 난민 증가로 사회적 긴장이 고조되는 가운데 기존 정치질서에 실망을 드러내는 여론에 힘입어 부상했다.

"함께 먹을 때 우리는 단단해진다."

켄 로치 감독의 <나의 올드 오크>는 80대 후반 거장의 은퇴작품으로 1984년에는 광부들의 대파업으로 노동자들의 연대의 힘을 일깨웠지만 2016년에는 폐광촌으로 극빈마을이 되어버린 더럼(Durham)의 실화를 배경으로 제작된 영화이다.

그리고 일명 '켄 로치 3부작'으로 불리는 영화의 마지막 세 번째 작품이다. 3부작 중 첫 번째 작품은 2016년 5월 칸 영화제(Festival de Cannes)에서 황금종려상(Palme d'Or)을 수상한 <나, 다니엘 블레이크>이다. 켄 로치는 여기에서 2010년 영국의 총선에서 승리한 보수당 케머런 총리 내각의 보수적 복지정책이 다니엘을 복지혜택에서 배제시킴으로써 빈곤을 형벌화(penalize)하는 부조리한 현실을 여실히 드러냈다.

두 번째 작품은 2019년 <미안해요, 리키>로 주인공 리키가 과도한 플랫폼(platform) 노동에 시달리며 이를 극복하고자 하는 노력들이 또 다른 새로운 소외를 가져오는 지점을 포착하며 신자유주의 자본주의 시스템의 폐해를 폭로했다.

<나의 올드 오크>는 잊혀진 공동체와 모든 것을 잃어버린 공동체가 함께 살아가는 방법을 희망에서 찾는 과정을 담아냈다.

마지막 세 번째 <나의 올드 오크>는 이러한 두 작품의 연장선 상에 있다. 영화는 폐광촌 더럼에 시리아(Syria) 난민들을 태운 버스 한 대가 도착하면서 시작된다. 그리고 이어서 사진작가를 꿈꾸는 주인공 소녀 야라(에블라 마리 분)가 아버지로부터 물려받은 카메라로 도착한 난민들의 모습을 촬영하는 도중 모습이 찍힌 한 명의 마을 주민이 야라의 카메라를 낚아챈다. 그는 자신의 카메라를 돌려달라는 야라의 말을 무시했고 곧 카메라가 땅에 떨어져 작동을 멈춘다.

야라는 고장난 카메라를 들고 마을의 오래된 펍(pub)의 주인인 또 한 명의 주인공 티제이(데이브 터너 분)를 찾아가 도움을 요청한다. 티제이는 “예전에 이 마을에 탄광이 있었어”라며 거의 20년 동안 열쇠로 꽉 잠근 채 한 번도 문을 연 적이 없던 펍의 안쪽 문을 연다. 그 곳에는 티제이의 삼촌이 직접 찍은 1984년 광부들의 파업 장면과 ‘더럼 광부 축제’ 장면을 담은 흑백사진들이 벽면에 걸려 있었다. 야라는 마을 사람들이 먹을 것을 서로 나누는 순간을 기록한 사진 아래 적혀 있는 “함께 먹을 때 우리는 단단해진다”라는 문장에 시선을 고정시킨다. 티제이는 “파업 때 우리 어머니들이 수 백명의 음식을 만들었다"고 하고, 야라는 이에 공감하며 이것이 바로 난민들이 탈출하는 과정에서 지탱해 온 삶의 방식이라고 말한다.

티제이가 야라의 카메라를 고칠 수 있도록 도움을 준 계기로 가까워진 두 사람은 이 공간에 '무료 급식소'를 열어 마을 사람들과 난민들이 함께 어울릴 수 있는 곳으로 탈바꿈시킨다.

반면 극 중 펍의 남자 단골손님들은 새로운 다른 사람들이 들어오는 것에 분노를 표하고, "왜 하필 가진 것 하나 없는 우리 마을에 난민을 배정하는가?"라며 시리아 난민들을 배척한다. 그리고 그들은 급기야 자신들의 모임장소(public space)인 펍을 지키기 위해 '무료 급식소'가 더 이상 운영되지 못하도록 모의하고 이를 실행에 옮긴다.

일자리는 없고, 학교나 상점, 교회가 문을 닫는 더럼에 난민들이 유입되는 상황에서 마을 주민들이 불만을 제기하며 하는 말은 일면 타당할 수 있다. 그러나 이러한 문제제기는 조금만 더 나아가면 그들이 처한 모든 어려움이 모두 난민 때문인 것으로 확장될 위험이 있다.

켄 로치는 이를 "삶이 힘들 때 우리는 희생양을 찾는다"라는 티제이의 대사로 시리아 난민들에 대한 마을 사람들의 혐오와 편견을 지적한다.

이제 영화는 야라가 티제이에게 들려주는 이야기와 야라의 카메라에 의해 간접적으로만 존재하던 야라의 아버지의 사망 소식이 전해지고, 야라의 집 앞으로 무료 급식소 운영 중단으로 실의에 빠져 있던 티제이를 비롯한 마을 사람들의 말 없는 추모 행렬이 계속된다. 그리고 장면이 전환되어 시리아 난민들이 더럼 지역 사람들에게 선물한 '용기, 연대, 저항'의 깃발을 펄럭이며 함께 행진하며 영화는 끝난다.

외국인은 어디에나 있다.

법무부 통계에 의하면 2024년 1월 기준 국내에 240만명 이상의 외국인이 체류하고 있는 것으로 나타난다. 따라서 한국 사회는 이제 더 이상 단일민족 국가가 아니라고 할 수 있다. 그리고 2018년 500명이 넘는 예멘인들이 제주도로 입국해 난민신청을 했는데, 그 중 심사를 거쳐 난민인정을 받은 자는 단 2명에 불과했다.

리베카 솔닛(Rebecca Solnit)은 『어둠 속의 희망』(*Hope in the Dark*)에서 "희망은 장차 무슨 일이 일어날 지 모른다는 전제, 불확실성의 광막함 속에 행동할 공간이 펼쳐진다는 전제 위에 자리잡는다. 희망은 알지 못하는 것과 알 수 없는 것에 대한 포용이며, 낙관론자와 비관론자 모두의 확신에 대한 대안이다. 낙관론자는 모든 게 잘되리라고 생각하고, 비관론자는 정반대 입장을 취하므로 양 쪽 다 행동하지 않아도 될 구실을 얻는다. 그러나 희망은 우리가 하는 일이 언제, 어떻게, 누구와 무엇에 영향을 끼칠지 미리 알 수 없다고 하더라도 중요하다는 믿음"이라고 했다.[101]

켄 로치는 <나의 올드 오크>에서 잊혀진 공동체와 모든 것을 잃어버린 두 공동체가 과연 함께 살아가는 방법을 찾을 수 있을지에 대한 질문을 우리에게 던지며 그 해답을 희망에서 찾는다. 또한 희망은 각자 처한 상황이 다르지 않다는 것을 깨닫고 서로를 지지할 수 있는 방법을 찾는 것에 있음을 여실히 드러낸다.

● deep into the film ●

모든 이주노동자와 그 가족의 권리보호에 관한 국제협약

1990년 12월 18일 유엔총회에서 채택된 '모든 이주노동자와 그 가족의 권리보호에 관한 국제협약(International Convention on the Protection of the Rights of All Migrant Workers and Members of Their Families)'은 모든 이주노동자와 그 가족의 권리를 보호하는 이주노동자협약이다. 이는 이주의 준비, 출국, 통과, 취업국에 체류하여 유급활동을 하는 전 기간은 물론, 출신국 또는 상거소국으로의 귀환을 포함하는 이주노동자와 그 가족의 전 이주과정에 적용된다. 이주노동자 협약은 이주노동자 송출국이 지니는 의무사항들을 명시하지만, 당해 협약이 보장하는 권리의 대부분은 수용국이 준수해야 할 사항이다.

차별을 금지하는 조항으로 시작하는 본 협약은 두 개의 장으로 구성되어 있다. 첫 번째는 취업국으로부터 받은 이주지위와는 무관하게 모든 이주노동자와 그 가족들이 향유해야 할 권리를 명시한다. 두 번째는 정규(documented) 이주노동자와 그 가족들이 지니는 부가적 권리들에 대해 명시한다. 이주노동자협약은 자유권 규약과 매우 유사하게 이주노동자들의 시민적, 정치적 권리를 정의하고, 몇몇 조항들은 이주노동자가 처한 특수한 상황을 인식하고 이들이 가지는 권리를 재확인한다. 예를 들면 체포시 출신국 영사기관에 통고, 이민법의 위반과 신분증명서류의 파손시 이주노동자에 대한 처우, 집단적 추방조치 금지에 관한 조항들이다. 또한 세계인권선언에는 규정되었지만, 자유권

규약에는 포함되지 않았던 '재산에 대한 권리'를 구체적으로 다룬다.

이주노동자협약은 이주노동자가 처한 특수한 상황을 고려해 이주노동자의 경제적, 사회적 및 문화적 권리를 정의한다. 예를 들면 자국민이라면 받을 수 있는 최소수준의 응급 의료보호를 받을 수 있는 권리와 이주노동자 자녀들이 법적체류 자격과 상관없이 교육받을 권리를 보장한다. 합법적 체류 지위를 가진(properly documented) 노동자들의 부가적 권리들과 계절노동자, 순회노동자, 특정사업 노동자 등의 특정 이주노동자 그룹(group)이 가지는 부가적 권리들도 명시한다.

한편 각 당사자에게 이주노동자 협약의 국내이행을 감시하는 이주노동자 권리위원회(Committee on the Protection of the Rights of All Migrant Workers and Members of Their Families)에 정기적으로 보고서를 제출할 것을 요구한다. 또한 제76조 및 제77조에 따라 당사국이 이주노동자 권리위원회가 진정을 받을 권한을 인정하는 경우, 다른 당사국 또는 개인은 협약 위반에 대한 진정을 제출할 수 있다.

16

모어경,
양심의 자유 수호를 위해 사형대에 서다

✹

프레드 진네만 감독, <사계절의 사나이>(1966)

16

모어경,
양심의 자유 수호를 위해 사형대에 서다.
프레드 진네만 감독, <사계절의 사나이>(1966)

절대주의 왕권확립을 위한 헨리 8세의 노력

영국의 튜터왕조 시대(1485-1603)는 르네상스 또는 전근대로 불리며 중세에서 벗어나 근대 사회로의 변화가 이루어지던 때였다. 튜터 왕조 시대 두 번째 왕이었던 헨리 8세(Henry VIII, 1491-1547)는 1590년 즉위 후 1547년 사망 때까지 약 38년간 영국을 통치하며 16세기 영국의 절대주의 왕권을 확립했다.

헨리 8세는 1509년 헨리 7세(Henry VII, 1457-1509)가 사망하자마자 곧이어 왕위에 즉위하면서 친형인 아서(Arthur Tudor)의 미망인이었던 캐서린(Catherine of Aragon)과 결혼했다. 당시 교회법이 레위기 18장에 근거해 미망인이 된 형수와의 결혼을 금지하고 있었기 때문에, 헨리 8세는 교황인 율리우스(Iulius) 2세의 특별허가를 받아 헨리 7세의 유언에 따라 결혼식을 올렸다. 헨리 8세는 결혼 후 캐서린이 왕위를 계승할 아들을 출산하지 못하자 앤 불린(Anne Boleyn)과의 적법한 결혼을 위해 캐서린과의 결혼을 무효화시키려 했다.

헨리 8세는 1527년 교황 클레멘스(Clemens) 7세에게 이러한 내용을 담은 서한을 보냈고, 1529년 교황청은 “혼인 취소는 불가하다”고 회신했다. 이에 그는 자신의 혼인 취소 문제를 해결하지 못한 토마스 울지(Thomas Wolsey) 추기경을 해임시켰다. 또한 그 해 10월 헨리 8세는 직접 토마스 크렌머(Thomas Crammer)를 캔터베리(Canterbury) 대주교로 임명함으로써 영국 교회가 영국 왕의 지배 하에 있다는 것을 처음으로 보여주었다. 1533년 6월, 앤 불린을 합법적인 왕비로 맞이하는 결혼식을 올렸고, 1533년 4월 통과된 ‘항소법(The Act of Appeals)’을 통해 “영국의 세속 및 종교 관련 재판권이 영국의 국왕에게서 나오므로 로마 교황은 관여할 수 없다”는 점을 분명히 했다. 1534년 11월에는 ‘수장령(The Act of Supremacy)’을 통해 영국 교회의 수장은 교황이 아니라 영국 국왕임을 공식적으로 선포했다. 또한 1534년 ‘왕위계승법(The Succession Act of Supremacy)’과 ‘반역법(Treason Act)’을 추가해 그의 사후 영국의 왕위 서열을 법으로 정하고, 자신에 대한 반대 세력을 처벌하는 근거를 마련했다.

“영혼을 파는 자는 이 세상을 다 얻어도 덧없다.”

프레드 진네만의 <사계절의 사나이>는 이러한 역사적 배경 하에 울지 추기경이 해임된 이후를 집중적으로 다룬다. 그리고 영화 제목인 ‘사계절의 사나이’는 에라스무스(Erasmus)가 토마스 모어를 지칭한 라틴어 표현인 “옴니옴 호라룸 호모(omnium

<사계절의 사나이>는 적법절차의 수호성인인 토마스 모어의 선택과 저항이 주는 의미를 담아냈다.

horaum homo)"를 말하며, 로버트 볼트(Robert Oxton Bolt, 1924-1995)가 토마스 모어를 다룬 그의 희곡, <사계절의 사나이>에서 제목으로 사용하면서 널리 알려졌다. '사계절의 사나이'는 계절의 변화에 관계 없이 늘 한결같은 사람이라는 의미로 헨리 8세의 절대 왕권 시대 대다수의 사람들이 옳고 그름을 떠나 왕이 요구하는 행동을 하며 생존을 모색하던 때에 죽음의 위협 가운데에서도 자신의 양심을 따른 토마스 모어의 용기를 나타낸다.

영화는 울지 추기경(오슨 웰스 분)이 밀랍으로 봉인된 서한을 인편으로 토마스 모어(폴 스코필드 분)에게 보내는 장면으로 시작한다. 토마스 모어는 서한을 개봉하자마자 울지경이 있는 곳으로 간다. 울지경은 헨리 8세(로버트 쇼 분)의 이혼문제와 교황의 권위에 대한 모어의 생각을 타진한다.

이어서 울지경이 침상에서 죽어가는 모습이 나오고, 모어가 울지경에 이어 당대 최고의 관직인 '로드 첸슬러(Lord Chancellor)'인 대법관직에 임명된다. 배심재판을 원칙으로 하는 영국의 법제 하에서 형평법원(Court of Chancery)은 '국왕의 양심'을 대리해 사건의 사안에 따라 적절한 구제를 부여하는 권한

이 주어지는데, 대법관의 가장 중요한 일은 형평법(equity) 사건의 처리이다.

한편 헨리 8세는 모어의 집을 직접 방문해 도움을 청한다. 캐서린과의 결혼은 처음부터 신의 뜻을 거스르는 것이었으며 자신에게 아들이 없는 것은 신이 자신을 벌한 것이라며 캐서린과의 결혼을 허락한 로마교회를 비난한다. 그리고 캐서린은 더 이상 왕비가 아니며 자신의 입장에 반대하는 말과 행동은 반역으로 간주될 것이라고 강조한다. 모어는 "자신의 양심상 헨리 8세의 앤 불린과의 결혼 문제에 관해 개입할 수 없다"며 답변을 피한다.

헨리 8세는 모어가 대법관으로서 영국 국민으로부터 왕국의 가장 존경받는 도덕적 상징의 의미를 담고 있는 대명사였기 때문에 왕국의 안·밖으로 자신의 문제에 대한 대의명분의 정당성을 위해 모어의 공개적 지지를 원했지만 뜻대로 되지 않았고, 이후 둘의 갈등은 점점 깊어진다.

결국 1534년 의회에서 헨리 8세가 국왕인 동시에 영국 교회의 수장(首長)이 되는 '수장령(Supremacy Act)'이 선포된다. 수장령은 본래 캔터베리 종교의회 주교들이 1532년 헨리 8세의 잉글랜드 교회 수장권을 인준한 이래 기정사실화된 잉글랜드와 로마가톨릭 교회 간의 결별을 공식화한 것으로 잉글랜드 내 교황의 권한 일체를 박탈하겠다는 내용을 핵심으로 담았다.

이처럼 국왕과 로마 교회 간 분리 독립이 가시화되면서 모어는 대법관직에서 사임하고 개인적 삶을 살고자 한다. 그러나 헨리 8세의 충실한 행정장관인 크롬웰(Thomas Cromwell, 1485-1540)이 수장령과 왕위계승법에 대한 선서를 국민의 의무로 강제시키는 법률을 통과시켰다.

이에 모어는 침묵을 지키며 1년 이상 런던 탑에 수감된다. 헨리 8세의 입장을 대변하던 크롬웰(리오 매컨 분)은 수 차례에 걸쳐 모어의 선서를 유도했지만, 모어의 반대 의사는 그의 신앙심과 함께 더욱 확고해진다.

헨리 8세는 자신의 권력이 어느 정도 안정되자 모어를 반역죄로 기소한다. 모어의 후임인 토마스 오들리 대법관의 주관으로 모어에 대한 최종재판이 열렸다. 기소 내용은 "토마스 모어는 국왕의 앞서 말한 권위와 왕의 신분에 따른 칭호와 이름, 다시 말하면 잉글랜드 교회의 지상 수장이라는 칭호와 이름을 박탈하려는 목적을 거짓되고 반역적이고 악의적이고 의도적으로 생각하고 조장하고 실행하고 시도함으로써 왕을 명백하게 경멸하고 왕의 고귀한 왕권을 모욕했으며, 전술한 법령들의 형식과 효력을 무시하고 우리 주군이신 국왕 폐하의 심적 평안을 훼손시켰다는 데에 배심원들이 동의하고 있다"[102]는 것이다.

이러한 기소 내용을 확정하기 위해 기회주의적 정치인인 리처드 리치(Richard Rich)가 증언대에 섰다. 리치(존 허트 분)는 모어로부터 자해적 증언을 끌어내기 위해 의도적으로 옥중 모어에게 접근해 모어를 만났을 때 주고 받은 몇 마디 말을 기소 내용과 모어의 의도에 맞추어 조작 및 각색했다.

릿치의 증언 내용은 다음과 같다. "의회가 나를 왕으로 옹립하면 나를 왕으로 세우겠는지 물었을 때, 모어경의 대답은 '그렇게 할 것이라는 것'이었다. 따라서 모어경의 대답은 의회가 나를 왕으로 옹립한다면 현재의 폐하를 내치고 내가 왕이 될 수 있다는 것이다. 그 다음에 '그렇다면 나를 교황으로 인정하는 의회법이 통과된다면, 모어경은 나를 교황으로 받아들일 것인가?'라고 질문을 덧붙이자, 그는 '의회는 세속사에나 관여할 수 있다'고 대답했다. 그리고 그는 내게 '만일 의회가 신이 신이 아니라는 법을 만든다면 그대는 신이 신이 아니라고 말해야 할 것인가?'라고 반문했다. 나는 '즉시 그럴 수 없겠다'고 답하고, 그에게 '왕은 의회법에 따라 교회의 최고 수장으로 선포되었는데, 당신은 의회법을 따라 나를 왕으로 인정하면서, 왕을 교회의 수장으로 받아들이려고 하지 않는 입장인지' 여부를 물었다. 그러자 모어경은 '왕은 의회에 의해 옹립될 수도 있고 의회에 의해 퇴위될 수도 있으나, 교회 수장의 경우에는 그렇지 않다'고 답했다"고 위증했다.

리치는 이러한 위증의 대가로 웨일스 검찰차장(Solicitor General)의 자리를 얻었다. 출세에 눈이 멀어 위증까지도 자행하는 리치를 향해 모어는 리치의 목에 걸린 웨일스 검찰차장을 상징하는 목걸이를 만지며, "영혼을 파는 자는 이 세상을 다 얻는다고 하더라도 덧없을 뿐인데 겨우 웨일스냐"며 질타한다. 그러나 리치의 증언은 모어의 기소에 대한 증거로 채택되었고, 모어는 '반역법'을 위반한 대역죄범으로 사형 판결을 선고받았다.

모어가 재판장 오들리에게 최후진술의 기회를 요청한 후, "이 고발장은 신의 법과 신성한 교회와 직접 일치하지 않는 의회법에 기반을 두고 있다. 교회에 대한 통치권이 국왕에게 속할 수는 없다. 그것은 합법적으로 로마 교황청에 속한다. 최초의 교회 통치권자는 성 베드로(Petrus)였으며 그의 후계자는 그 다음 후의 교황이었다. 잉글랜드 왕국은 세계 교회의 일원, 그 작은 부분에 지나지 않고 그리스도의 보편적 일반적 법률에 합치되지 않는 특수한 법률은 제정할 수 없다. 그것은 왕국 전체에서 보면 그

작은 일원에 지나지 않는 런던시가 의회의 법에 반(反)해 왕국 전체를 구속하는 법을 제정할 수 없는 것과 같다. 나는 그리스도교 세계의 공적인 세계 의회에 반대해 나의 양심을 바꾸거나 일국의 의회에 따르는 일은 하지 않을 것이다"라고 말했다.

모어는 1215년 제정된 '대헌장(Magna Carta)' 제1조에 규정된 "국가는 자유민의 개인들에게 부여된 종교의 자유와 권리를 억압해서는 안된다"고 역설함으로써 법에 의한 지배로부터 멀어진 절대왕정에 강한 비판을 가한 것이다.

영화는 1535년 7월 1일, 모어는 헨리 8세에 대한 반역죄로 사형선고를 받고 참수되는 장면으로 끝난다. 그리고 바로 이어 "참수 이후 '배신자의 문(Traitor's Gate)'에 걸려 있던 모어의 머리를 그의 딸 마가렛 모어(Margaret More)가 가져가 보관하였다. 크롬웰은 모어가 죽은 지 5년 후 대역죄로 참수되었다. 대주교는 화형당했다. 노포크 공작(Duke of Norfolk)은 대역죄로 사형될 예정이었으나, 사형 하루 전에 헨리 8세가 매독으로 사망했다. 리처드 리치는 영국의 대법관이 되었고, 자기 침대에서 죽었다"는 자막이 엔딩크레딧이 올라가며 나온다.

적법절차의 수호성인 토마스 모어

모어는 그가 사형당한 지 400년 후인 1935년 교황 피우스(Pius) 11세에 의해 가톨릭의 성인으로 추대되었다. 그리고 그가 주창한 '적법절차(due process of law)'이념은 이후 신대륙으로 건너가 "누구든지 법률이 정하는 적법한 절차에 의하지 아니하고는 생명, 자유, 재산을 박탈당하지 아니한다"는 미연방헌법 규정으로 정착되었다.

모어는 자신이 믿었던 것과 믿고 싶었던 것을 위해 죽었는데, 그의 죽음은 그가 중세의 황혼기이자 근대의 여명기라는 중첩적 시대 한 가운데 버티고 있었기 때문에 일어난 일이었다.

한편 그가 그의 책 『유토피아』(*Utopia*)에서 작품 속 모어의 입을 빌어 완벽한 사회정의 실현을 위해 인간 개개인의 영혼 속에 내면화된 공동체의 공익적 정의를 강조한 바처럼, 그의 죽음은 정의를 위한 신앙적·도덕적 죽음이었다. 또한 그가 현실에서 노력해 쌓은 모든 것을 버리면서까지 양심이라는 보편적 도덕 가치를 끝까지 포기하지 않은 죽음이었다.

<사계절의 사나이>는 헨리 8세 치하 하에서 자신의 출세를 위해 정치실세의 변화에 따라 울지에서 모어로, 이어 모어에서 크롬웰로 충성의 대상을 바꾼 후, 검찰차장이 된 후, 신교도 왕 에드워드 6세(Edward VI, 1537-1553) 및 가톨릭의 여왕 유혈의 메리(Bloody Mary, 1516-1558) 통치 하에서도 출세 가도를 달려 의회 하원의장을 거쳐 대법관직까지 차지한 릿치같은 수많은 기회주의자들에 의해 둘러싸인 오늘날의 우리에게 모어의 선택과 저항이 주는 의미를 다시금 곱씹어보게 한다.

● deep into the film ●

영국의 보통법 법원과 형평법 법원

영국 국왕의 사법권은 12-13세기를 거치면서 국가적 사건이나 납세와 대토지 소유자의 토지 문제를 다루는 특별재판권에서 점점 일반적 재판권으로 확대된다.[103] 이에 따라 법원도 국왕이 직접 결정에 참여해야 하는 국왕평의회(Curia Regis)뿐만 아니라, 국왕이 참여하는 대신 직업 법관을 배정해 재판하는 세 개의 상설 중앙법원을 설치한다. 이들은 각각 조세와 관련한 법적 문제를 담당하는 재무법원(the Court of Exchequer), 민사소송에 관한 관할권을 가진 민사법원(the Court of Common Plea), 그리고 왕좌법원이라고도 불리는 형사법원(the Court of the King's Bench)이다.[104] 영국의 보통법(common law)은 국왕 사법권의 중앙집권화 영향을 받아 발전한다. 윌리엄 1세(William I, 1028-1087)는 영국을 정복하면서 종래 지역의 관습법을 존중하겠다는 약속을 한다. 그러나 봉건제도를 통해 왕권을 강화한 국왕 중 특히 헨리 2세(Henry II, 1133-1189)는 국왕중심의 사법질서를 세움으로써 오늘날 보통법의 기초를 닦았다. 그는 순회법관(itinerant judge)을 정기적으로 파견해 이들이 지방에 머무르는 동안 법원을 열고 사건을 심리하게 했다. 순회법관들은 그 지방의 관습에 따라 사안을 해결했는데, 이러한 관습법들은 전반적으로 동일했다. 따라서 순회법관들이 런던에 모여 구체적 차이점과 특이한 판례들을 비교·검토하면서 하나의 일관된 법리를 만들어냈고, 다시 지역에 파견될 때 이 법리를 재판에 적용했다. 이러한 과정을 통해 오늘날 보통법의 기초가 형성되었고, 이

는 영국의 모든 지방에 일반적·공통적으로 적용된다는 점에서 보통법으로 불리게 되었다.[105]

12세기에 기틀이 잡힌 보통법을 따르는 영국 보통법 법원의 재판에 있어 핵심은 바로 영장(writ)제도이다. 영장은 노르만 왕조가 통치하기 이전 앵글로 색슨 시절에 지방관리로 하여금 당사자들의 분쟁을 다투도록 하는 집행명령이 그 기원이다. 이후 국왕의 법원, 즉 순회법관을 포함한 국왕의 법관이 소송을 받아들여 재판할 것을 허락하는 명령으로 변화되었다.[106] 영장에는 소송의 객체가 무엇인지 표시되어 있는데, 영장을 발급함으로써 수신인이 어떤 특정 피고를 표시된 청구에 응하게 하거나 국왕의 법원에 소환시켜 양 당사자가 모인 자리에서 해당 사건을 심리하도록 지시하게 했다. 12세기 영국 보통법 원칙에 의하면 권리가 침해되었다고 하더라도 그 권리에 대한 구제인 법원 심리는 영장이 없으면 열리지 않았고, 이러한 영장은 대법관(Chancellor)이 발부했다.

한편 보통법이 발달하고 국왕의 권위가 강화되는 한편 사회분쟁 양상이 복잡해지면서 영장의 종류가 점점 증가했고, 각 지방의 고유한 관습법은 그 중요성을 상실하고 보통법 내에 흡수·통합되어 갔다.[107] 이에 따라 14세기부터 16세기에 이르는 동안 영국의 보통법은 지역 관습법과 영주의 법원을 대체하기 시작했고, 직업법관이 전담하게 되었다. 이에 따라 보통법 자체는 논증의 정밀함과 명확성이 확보되었지만, 점점 형식화되고 경직되어 감에 따라 아무리 억울한 일이 있다고 하더라도 그 사건의 사실관계가 소송의 형식에 맞지 않으면 적절한 권리구제 수단을 제공할 수 없게 되었다. 그럼에도 불구하고 영장을 발급할 때 법원은 원고의 주장만 들었기 때문에 오늘날과 같은 전문지식을 가진 법률대리인이 참여할 수 없었다. 그 결과 많은 사람들이 형평법상 구제를 선호하게 되었다.[108]

원래 형평법은 보통법의 형식성이 극심한 부정의를 초래하는 예외적 경우에만 관할권을 가졌는데, 이후 형평법 재판이 더 많이 열리기 시작하면서 형평법 재판은 일정한 형식과 체계를 갖추기 시작했고, 형평사건을 전담하는 형평법 법원(Equity Law Court)이 구성되었다. 이에 따라 보통법 법원에서 부당한 이유로 패소하거나 적절한 영장을 발부받지 못한 경우 당사자가 직접 국왕에게 도덕과 양심이 요구하는 행위를 상대방이 하도록 할 것을 청원하기 시작했다.[109] 이후 시간이 흐르면서 이러한 청원은 왕이 아니라 대법관이 대신 처리하도록 변화되었다. 그리고 형평법 법원은 보통법상 영장이 아닌 벌금부소환장(writ of subpoena)을 발급해 청원서에 명기된 상대방을 소환하고, 이에 불응시 고액의 벌금을 부과했다. 대법관에 의한 심리는 '도덕과 양심'에 반(反)해 행위를 했는지를 심사하는 것이 목적이었기 때문에 보통법상 적용되는 엄격한 입증책임이 적용되지 않았고, 배심원 없이 심리를 진행했으며, 규문주의(inquisitorial system)에 입각해 직권으로 증인을 심문하고 진술을 명하는 등 심리의 진행에 있어 대법관이 그 주도적 역할을 했다. 또한 형평법 법원은 판결에 응하지 않으면 당사자에게 중한 벌과금을 부여함으로써 그 실효성을 확보했다.[110]

일반 시민들은 이처럼 유연성과 실효성을 확보한 형평 법원에 의한 권리 구제를 선호했고, 형평법원이 확대되면서 보통법 법원에서는 전통적인 소송 영장 제도가 점점 그 실질적 의미를 상실해 갔고, 이에 따라 보통법 법원에서도 사실관계만 진술하면 소를 접수해 주는 체계가 확립되었다.

결국 형평법과 형평법 법원이 발달하면서 분쟁 당사자들은 보통법 법원과 형평법 법원에서 서로 다른 구제를 받을 수 있게 되었지만, 양 법원이 상호 경쟁하는 과정에서 보통법 법원은 점점 유연해지는 반면 형평법 법원은 보통법 법원처럼 형식화되면서 이중화된 권리구제 체계가 오히려 불필요하게 복잡해졌다.

이에 영국은 1873년 법원조직법(Judiciary Act)을 통해 사회적 비용만 증가시키는 기존의 이원화된 사법체계를 일원화했고, 이에 따라 당시까지 난립되어 있던 많은 법원들이 고등법원(High Court of Justice)과 항소법원(Court of Appeal)으로 구성된 단일의 상급법원(Supreme Court of Judicature) 하에 속하게 되었다. 그리고 기존의 보통법상 법원인 왕좌법원, 재무법원과 민소법원은 각 고등법원 아래의 부(部)에 속하게 되었고, 이후 왕좌부(King's Bench Division)에 통합되었다. 기존의 형평법 법원은 형평법부(Chancery Division)로 이관되었다.

17

12인의 여과장치,
배심재판제도의 존재의의를 묻다.

✹

시드니 루멧 감독, <12인의 성난 사람들>(1957)

17

12인의 여과장치, 배심재판제도의 존재의의를 묻다.

시드니 루멧 감독, <12인의 성난 사람들>(1957)

배심재판제도의 형성

영국에서 13세기 중엽부터 형성되기 시작한 배심재판(Jury Trial)은 판사와 보통 12인의 일반시민으로 구성된 배심원(jury)에 의한 재판으로서 배심원은 사실관계(question of fact)에 관한 판단을 하고, 판사는 법률관계(question of law)에 관한 판단을 함으로써 상호 협조해 판결을 내리는 제도이다. 이러한 배심재판은 자의적이고 보복적 법집행을 방지하고, 사실발견 절차에 도움을 주며, 민주사회에서 형사절차에 대한 공공참여를 유도하기 위한 것이다.

배심원에 의한 재판은 6개월 이상의 징역형이 부과되는 범죄(serious offenses)에만 적용되며, 경미한 범죄(petty offenses)에는 적용되지 않는다. 그리고 배심원은 지역사회를 골고루 대표할 수 있도록 선정되어야 한다.

12인의 배심원들이 성난 진짜 이유는 무엇인가?

시드니 루멧 감독의 <12인의 성난 사람들>은 12인의 다중적 여과장치를 통해 사실관계에 차근차근 접근하는 모습을 그리며 배심재판제도가 지닌 존재의의를 부각시킨 영화이다. 영화는 푸에르토리코(Puerto Rico) 이민자 출신의 18세 청년이 부(父)를 죽인 일급살인 피고인으로 법정에 앉아 있고, 무심한 표정의 판사가 그에게 만약 배심원단의 유죄 평결이 내려지면 사형선고가 내려진다고 말하는 장면으로 시작한다. 이어서 판사는 "피고인의 유죄를 확신하기 위해서는 그의 유죄가 합리적 의심의 여지가 없도록(beyond reasonable doubt) 입증되어야 한다. 따라서 만약 제출된 증거를 고려해 피고인이 유죄라는 분명한 확신이 들면 그를 유죄라고 해야 하고, 만약 피고인이 유죄가 아닐 수도 있다는 생각이 들면 피고인에게 유리하도록 유죄가 아니라고 해야 한다"는 사실을 배심원들에게 주지시킨다. 또한 "만장일치제를 채택한 배심재판이므로 단 한사람이라도 합리적 의심이 든다면 유죄 평결을 내려서는 안된다"고 강조한다.

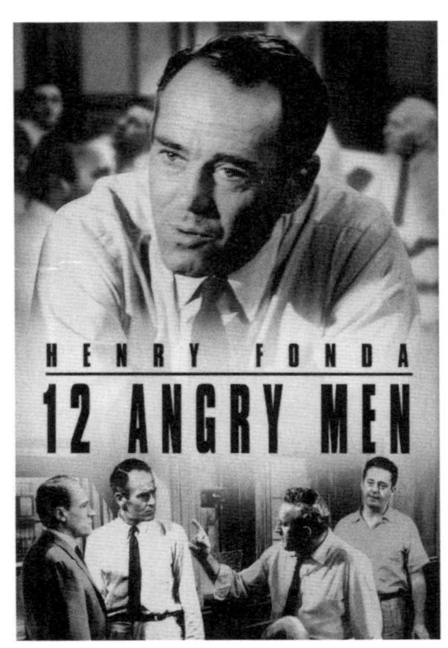

<12인의 성난 사람들>은 미국 배심재판제도를 통해 직업관료인 판사가 아니라 사법주권자인 국민 판단의 중요성을 담아냈다.

이후 영화는 배심원단의 회의실에서 배심원장이 선출되고 나온 11(유죄) 대 1(무죄)의 예비투표 결과를 보여준다. 그리고 즉시 유죄평결을 내리기에는 석연치 않은 점이 있다며 합리적 의심을 품은 유일한 반대자인 건축기사인 배심원(Juror) 8번(헨리 폰다 분)이 토론을 통해 다른 11명의 배심원들을 한 명 한 명씩 설득해 가는 과정을 보여주며 전개된다.

적법절차는 모든 형사 사건에서 피고인이 유죄라는 것을 입증하는 범죄의 구성요소를 주가 합리적 의심을 넘어서는 수준(beyond reasonable doubt)으로 입증할 것을 요구한다. 이는 검사가 범죄의 구성요건을 모두 입증하지 못하면 피고인은 무죄로 추정된다는 무죄추정의 원칙(presumption of innocent)이 적용되기 때문이다. 그런데 법정에서 검사가 피고인이 유죄임을 보여주는 증거를 제시(burden of persuasion)한 다음에는 피고인에게 입증책임(burden of proof)이 넘어간다. 영화에서는 그러한 증거들이 여러 가지 제시되며 이 증거들이 합리적으로 의심할 만한지를 검토하는 과정이 이어진다.

사건은 기차길 옆 빈민가의 어느 한 아파트에서 발생했다. 그리고 각 배심원들은 피고인이 유죄임을 증명할 수 있는 다음의 증거들을 하나씩 제시한다. (i) 아버지를 살해하는 데 사용된 독특한 모양의 칼로 피고인은 사건 당일 저녁에 이 칼을 샀는데, 이것이 피해자의 가슴에 꽂힌 칼과 같은 칼이며, 피고인은 칼을 잃어버렸다고 진술한다. (ii) 피고인의 아래층에 사는 노인이 위층에서 "죽일 거야"라고 외치는 소리를 들은 다음 몸이 쓰러지는 소리를 들었다. 그리고 침실에서 15초만에 아파트 문까지 걸어가서 문을 열고, 층계를 달려 내려가는 피고인을 보았다고 증언한다. (iii) 철로를 사이에 두고 맞은편 아파트에 사는 중년 여성이 전철이 지나가는 순간에 자신의 침실 유리창을 통해 살인현장을 목격했다고 증언한다. (iv) 피고인은 사건 발생 시각에 영화를 보고 있었다고 알리바이(alibi) 진술을 했지만 그가 본 영화 제목이나 배우들의 이름을 기억하지 못했다.

이처럼 예비투표를 한 다음 피고인이 유죄임을 지지하는 증거들은 증거를 약화시키는 새로운 정보가 제시되며 네 번의 표결 과정을 거친 후, 배심원들이 전원 자신의 원래 입장을 바꾸게 된다. 첫 번째 투표에서는 배심원 9번이 무죄를 선택한다. 두 번째 투표에서는 5번과 11번이 무죄로 변경한다. 세 번째 투표에서는 2번과 6번이 변경함으로써 6:6이 된다. 마지막으로 1번, 7번, 12번이 결정을 번복한다.

두 번째 투표를 하기 전까지는 칼의 흔하지 않은 모양 때문에 강력한 유죄 증거가 되었음에도 불구하고 8번 배심원이 동일한 모양의 칼을 제시하고 범죄가 일어난 마을에서 샀다고 말하자 칼 모양의 독특성이 반박된다. 그리고 칼의 지문을 없앨 정도로 침착한 태도를 보인 피고인이 범죄 현장에 다시 나타난 것도 유죄에 대한 합리적 의심을 가지게 한다.

세 번째 투표를 하기 전까지는 노인의 증언을 재검토한다. 우선 노인의 증언 내부에서 모순점을 찾는데, 다리가 불편한 노인이 침실에서 문까지 걸어가 피고인을 확인한 시간이 15초 걸렸다고 했는데, 배심원 8번은 40초 이상 걸린다는 것을 입증함으로써 노인의 증언에 모순이 있다는 점과 증인의 신뢰성을 문제 삼는다.

네 번째 투표를 하기 전까지는 소년의 알리바이와 범행에 사용된 칼을 재검토한다. 우선 체포 직후 놀란 상황에서 기억을 정확하게 하는 것은 어렵다는 것이 배심원 4번과 8번의 대화를 통해 확인된다. 4번 배심원도 자신이 수일 전에 본 영화 제목과 배우의 이름을 정확하게 말하지 못했기 때문이다. 또한 칼이 꽂힌 각도는 피고인이 그 칼을 사용해서 범행을 행했다는 것이 합리적으로 의심되었다. 빈민가 출신인 배심원 5번이 칼을 잘 사용하는 피고인이라면 절대로 그 각도로 찌르지 않았을 것이라고 말했기 때문이다.

네 번째 표결 이후 가장 강력한 증거인 중년 여성의 목격에 대한 증언이 검증된다. 9번 배심원이 증인의 콧등에 있는 안경자국을 기억해냄으로써 증인이 안경을 썼을 것이라는 추론 후, 일반적으로 잠자리에 들 때에는 안경을 쓰지 않으며 이 상태에서 어두운 밤에 20m 정도 떨어진 거리에서 살인 현장을 목격했다는 점은 증인의 증언을 합리적으로 의심할 만하다는 것이다.

3번 배심원은 피고인이 "죽여 버릴거야"라는 말을 노인이 들었다는 증언을 토대로 피고인의 유죄를 확신했지만, 8번 배심원은 그런 말은 화가 나면 누구나 할 수 있는 말이라며 반박했다. 이에 동의하지 않던 3번 배심원은 다른 주제로 8번 배심원과 다투던 중 이 말을 하게 되었고, 자신의 주장에 모순이 있음을 깨닫는다.

영화는 이처럼 진지한 의문을 제기하며 설득력 있는 논리로 11명 배심원들의 예견과 편견을 하나씩 차례로 무너뜨린 배심원 8번이 법정을 나서며 9번과 인사하며 헤어지는 장면으로 끝난다.

사법주권자인 국민 판단의 중요성

<12인의 성난 사람들>은 영화의 전개 공간이 배심원단의 회의실로 단순하지만 11:1에서 0:12로 역전되는 서사가 지니는 힘은 상당히 강하다. 이러한 서사는 누스바움(Martha Nussbaum, 1947-)이 『타인에 대한 연민』(*The monarchy of fear*)에서 "혐오라는 사회적 감정을 통제하기 위해서는 '서사적 상상력(narrative imagination)'이 중요하다"고 말한 것에 부합된다. 누스바움은 "사람들은 특정 부류에 자신들의 심리적 감정을 투영해 그들을 위험하다고 단정짓고, 그들을 종속시키려는 경향을 보인다. 또한 기존 사회를 존속시키고자 하는 신념으로 분노를 표출하며 그들을 낙인찍는데, 이러한 사회 구성원들의 두려움과 불안을 실질적으로 줄이기 위해서는 '서사적 상상력'으로 타인의 관점을 이해하는 성찰적 태도가 요구되며 이는 참여를 통한 타인과의 관계형성을 통해 사회적으로 이루어진다"고 한다.

<12인의 성난 사람들>은 이러한 '서사적 상상력'으로 옳고 그름을 판단하는 것은 직업관료인 판사가 아니라, 사법 주권자인 국민의 몫이고 이러한 사법 주권자들은 예단과 편견 없이 합리적으로 의심하는 눈과 귀를 가지고 진지한 대화와 토론을 통해 건전한 상식에 이를 수 있는 태도를 지녀야 한다는 점을 알려준다.

● deep into the film ●

미국 형사소송절차

형사소송절차는 법과 질서에 대한 사회적 요청과 개인의 기본적 인권이 합리적으로 조화될 수 있도록 운영되어야 한다.

미국의 연방정부와 대부분의 주정부는 각 형사소송법(Civil Procedure Code)을 제정해 운용하고 있다. 연방대법원은 1945년 의회의 권한위임에 따라 연방형사소송규칙(Federal Rules of Criminal Procedure, 이하 'FRCP')을 제정해 연방지방법원에서의 형사소송절차에도 적용한다. 주 정부도 각기 다르지만 별도의 형사소송법을 제정해 주법원에서의 형사소송절차에 적용하고, 그 내용의 상당 부분은 FRCP의 영향을 받고 있다.

형사소송절차에서 피의자나 피고인은 다음의 단계를 거쳐 재판에 회부된다. 다만 불기소로 석방되거나 검사와의 형량합의(guilty plea)로 절차가 종결되기도 한다. (i) 체포(arrest) (ii) 입건(booking)으로 피의자의 성명, 범죄혐의, 기타 다른 자료를 기록하는 절차이다. 다만, 제 4차 개정헌법(Amendment IV)에 의해 피의자를 구금(detain)하기 위해서는 합리적 의심(probable cause)이 있어야 하며 이를 판단하기 위한 절차인 구속전 피의자 심문절차(Gerstein hearing)을 거쳐야 한다. 이는 체포 후 기소 전에 하는 것으로 기소 전에 피의자의 자유를 중대하게 제한하는 경우 이러한 제한이 필요한지 여부를 결정하기 위한 것이다. (iii) 소추청구(filing complaint)로 검사(prosecutor)가 수사기록을 검토해 피의자의 유죄의 증거가 충분한지 및 기소(charg

e) 여부를 결정하는 절차이다. 여기에서 검사가 기소하면 피의자(suspect)는 피고인(defendant)으로 그 지위가 바뀐다. (iv) 모두(冒頭)출석(initial appearance)으로 기소된 피고인이 치안판사(magistrate) 앞에 출두하는 절차이다. 여기에서 치안판사는 기소할 정도로 증거가 충분한지는 평가하지 않고, 기소 통지(notice of charge), 변호인의 조력을 받을 권리의 통지(notice of right to counsel), 보석(bail)의 세 가지를 행한다. 다만 보석을 정하는 것만으로 피고인이 재판에 출석하는 것을 보장하지 못하거나 피고인이 사회에 위험을 야기할 우려가 경우에는 석방이 거부되기도 한다. (v) 예비심문(preliminary hearing)으로 치안판사가 기소할 수 있는 합리적 의심이 있는지 여부를 판단하는 절차이다. 이 때 검사는 정식으로 기소하기 이전에 범죄가 실제로 행해졌는지와 피의자가 해당 범죄를 저질렀는지의 여부에 대해 증거를 제시해야 한다. 이 경우 입증책임(burden of persuasion)의 정도는 합리적 의심(beyond reasonable doubt)보다는 낮은 정도의 의심으로 족하다. 치안판사가 합리적 의심이 있다고 판단하면 대배심(grand jury)에게 보내 기소(indictment)를 구하거나, 기소가 필요하지 않은 경우에는 직접 사실심 판사(trial judge)에게 보내는 것을 허가한다. (vi) 정식 기소(indictment) 또는 기소 또는 고발(charge)을 적은 기소장(information)의 접수(filing)로 대배심에 의한 기소가 요구되는 경우에는 대배심 절차를 거쳐 기소되며, 기소가 필요하지 않은 경우에는 치안판사가 기소장(information)을 검사가 사실심 판사에게 제출함으로써 기소한다. 대배심 절차는 비공개이다. (vii) 기소사실인정절차(arrignment)로 기소가 된 후 사실심 판사 앞에서 가지는 절차로 여기에서는 피고인에게 유죄인지 무죄인지

여부를 소답(plead)한다. (viii) 사실심리전 신청(pretrial motion)으로 기소사실인정절차 단계에서 무죄 주장을 하면 공판이 열리는데, 이러한 공판이 열리기 전 검사의 증거가 불법적으로 취득된 것이므로 배제(suppress)되어야 한다는 신청(motion) 등 피고인은 여러 가지 신청을 한다. (ix) 심리(trial)로 중범죄(felony)와 6개월 이상의 징역에 처할 수 있는 경범죄(misdemeanor)로 기소된 자는 배심재판제도(jury trial)을 받을 수 있다. (x) 판결의 선고(sentencing)로 배심원이 유죄여부를 결정하는 배심재판의 경우 배심원단의 유죄평결(verdict)이 있거나 판사(judge)가 유죄여부를 평결하는 비배심재판(judge trial)의 경우 유죄판결 선고를 한다. 전자의 경우에도 선고는 판사가 한다. (xi) 항소(appeals) (xii) 유죄판결에 대한 비상구제절차(post-conviction remedies)로 유죄판결이 확정된 피고인이 이용할 수 있는 절차로 인신보호영장절차(harbeas corpus procedure) 등이 있다.

18

준영, 현우의 억울한 서사를 바로잡다.

●

김태균 감독, <재심>(2017)

18

준영, 현우의 억울한 서사를 바로잡다.

김태균 감독, <재심>(2017)

일사부재리 원칙의 예외인 재심

재판이 확정되면 더 이상 다툴 수 없는데, 이를 일사부재리 원칙이라고 한다. 재심(再審)은 일사부재리 원칙의 예외로 유죄의 확정판결에 중대한 사실인정의 오류가 있는 경우 판결을 받은 자의 이익을 위해 이를 시정하는 비상구제절차이다. 또한 법적 안정성과 정의의 이념이 충돌하는 경우 정의를 위해 판결의 확정력을 제거하는 것이다.

형사소송에는 일단 재판이 확정되면 피고인을 보호하고 공적 판단의 지속성을 유지함으로써 법적 생활의 안정을 도모하기 위해 확정력이 주어진다. 이러한 법적 안정성은 형사사법 질서의 전제로 법적 판결이 지속될 것에 대한 피고인과 일반인의 신뢰를 보호하기 위한 장치인데, 그 전제는 판결의 정당성이다. 그러나 확정력 있는 판결이 항상 정당성을 지닌다고 할 수 없고, 오류가능성을 완전히 배제할 수 없으므로 입법자는 확정력을 배제하고 그 오류를 시정해야 하는 경우가 무엇인지 구체적으로 가려내야 한다.[111]

이처럼 재심은 예외적 비상구제절차로 형사소송법은 제420조에서 다음의 재심사유를 별도로 규정해 이에 해당되는 경우에만 재심신청을 할 수 있도록 한다. 원판결의 증거된 서류 또는 증거물이 확정판결에 의해 위조 또는 변조된 것이 증명된 때(1호), 원판결의 증거된 증언, 감정, 통역 또는 번역이 확정판결에 의해 허위인 것이 증명된 때(2호), 무고로 인해 유죄의 선고를 받은 경우 그 무고죄가 확정판결에 의해 증명된 때(3호), 원판결의 증거된 재판이 확정재판에 의해 변경된 때(4호), 유죄선고를 받은 자에 대해 무죄 또는 면소를, 형의 선고를 받은 자에 대해 형의 면제 또는 원판결이 인정된 죄보다 경한 죄를 인정할 명백한 증거가 새로 발견된 때(5호), 저작권, 특허권, 실용신안권, 의장권 또는 상표권을 침해한 죄로 유죄선고를 받은 사건에 관해 그 권리에 대한 무효 심결 또는 무효 판결이 확정된 때(6호), 원판결, 전심판결 또는 그 판결의 기초된 수사에 관여한 검사나 사법경찰관이 그 직무에 관한 죄를 범한 것이 확정판결에 의해 증명된 때, 다만 원판결의 선고 전에 법관, 검사 또는 사법경찰관에 대해 공소제기가 있는 경우 원판결의 법원이 그 사유를 알지 못한 때에 한한다(7호).

그리고 특히 제5호의 경우에는 증거의 신규성과 증거의 명백성이 필요하다. 대법원은 형사소송법 제420조 제5호에서 정한 재심사유인 '증거가 새로 발견된 때'에 대해 "그 증거가 법원 뿐만 아니라 재심을 청구한 피고인에게도 새로운 증거여야 한다"며 다음의 판시를 했다. 즉 "형사소송법 제420조 제5호에 정한 무죄 등을 인정할 '증거가 새로 발견된 때'란 재심대상이 되는 확정판결의 소송절차에서 발견되지 못했거나 제출할 수 없었던 증거를 새로 발견했거나 비로서 제출할 수 있게 된 때를 말한다. 증거의 신규성에 대해 누구를 기준으로 판단할 것인지는 이 조항이 그 범위를 제한하고 있지 않으므로, 그 대상을 법원으로 한정할 것은 아니다. 그러나 재심은 당해 심급에서 또는 상소를 통한 신중한 사실심리를 거쳐 확정된 사실관계를 재심사하는 예외적 구제절차이므로, 피고인이 판결확정 전 소송절차에서 제출할 수 있었던 증거까지 이에 포함된다고 보면 판결의 확정력이 피고인이 선택한 증거제출시기에 따라 손쉽게 부인되어 형사재판의 법적안정성을 해하고, 헌법이 대법원을 최종심으로 규정한 취지에 반(反)해 제4심으로서의 재심을 허용하는 결과를 초래할 할 수 있다. 따라서 피고인이 재심을 청구한 경우 재심대상이 되는 확정판결의 소송절차 중 그러한 증거를 제출하지 못한 데 과실이 있는 경우 그 증거는 이 조항에서의 '증거가 새로 발견된 때'에서 제외된다고 해석함이 타당하다"고 판시했다.[112]

<재심>은 2000년 전라북도 익산 '약촌 오거리 사건'의 피해자인 현우의 억울한 실화를 통해 국가 공권력 남용에 대한 비판을 담아냈다.

그리고 대법원은 증거의 명백성에서 명백성의 정도에 대해 "무죄를 인정할 명백한 증거란 그 증거가치가 다른 증거에 비해 객관적으로 두드러지게 뛰어날 정도

여야 하고, 법관의 자유심증에 의해 그 증거가치가 좌우되는 증거를 말하는 것은 아니다"라고 했다.[113] 또한 명백성의 판단방법에 대해 "명백한 증거가 새로 발견된 때는 새로운 증거 자체의 증거가치에 있어 다른 증거에 비해 객관적 우위성이 인정되는 것을 말한다"고 판시했다.[114]

2000년 '약촌 오거리 사건' 판결의 재심

김태윤 감독의 <재심>은 '약촌 오거리 사건'의 실화를 바탕으로 제작된 극영화이다.

2000년 8월 10일 새벽 2시 7분경, 전라북도 익산의 한 도로에서 택시기사가 살해된 채 발견된다. 며칠 후, 경찰은 사건의 목격자였던 15세 소년 최 군(극 중 조현우 분)을 살인용의자로 발표했다. "택시기사와 시비 끝에 살인을 했다"는 것이다. 그러나 이러한 경찰의 발표와 달리 최 군은 "경찰의 협박과 가혹행위로 자신이 허위진술을 했다"고 주장한다. 그러나 이처럼 최 군이 완강히 부인함에도 불구하고 그는 강도살인죄로 기소되어 1심[115]에서는 징역 15년형을, 2심[116]에서는 10년 징역형을 선고받는다. 그리고 대법원에의 상고를 포기하고 복역 후 10년이 지나 만기 출소한다.

영화는 이 서사의 주인공 두 인물을 번갈아 보여주며 시작한다. 우선 '약촌 오거리 사건' 현장이 재현되면서 1심 재판부가

"피고인 조현우(강하늘 분)에게 15년형을 선고한다"는 장면이 나온다. 다음으로 이준영(정우 분) 변호사가 만 여명의 원고측을 대리해 건설사를 피고로 제기한 아파트 집단소송에서 패소하는 법정 장면이 나온다. 그리고 곧이어 두 주인공 인물이 어떻게 연결되는지 보여준다. 거액의 채무를 지고 가족들과도 헤어져 살게 된 준영이 연수원 동기인 모변호사(이동휘 분)가 재직 중인 대형로펌 테미스 대표(이경영 분)의 인정을 받기 위해 '약촌'으로 무료 법률봉사 활동을 간다.

한편 국가는 피해자에게 대신 지급한 4천만원을 변제하라며 현우(강하늘 분)를 상대로 구상금지급을 청구했는데, 시각장애인인 현우의 모(김해숙 분)가 이를 준영에게 의뢰하면서 준영과 현우가 만난다. 이후 영화는 현우의 억울한 서사를 응시하는 준영의 시선에 집중한다. 그리고 현우의 무죄를 입증하고자 흔들림 없이 전진하는 준영의 모습을 그려내며 전개된다. 또한 이 과정에서 경찰과 검찰이 국민이 그들에게 위임한 공권력을 사적 이익을 위해 어떻게 남용하고 있는지를 비판한다.

대한민국 헌법은 명문으로 고문을 받지 않을 권리를 명시한다(제12조 제2항). 이로부터 형사절차에서도 피의자와 피고인의 인권을 중시하며 실체적 진실을 발견하는 적법절차가 법치주의의 중핵이 되었다. 따라서 임의성 없는 자백이나 고문에 의한 자백은 증거로 사용할 수 없다.

형사소송법 제309조는 "피고인의 자백이 고문, 폭행, 협박, 신체구속의 부당한 장기화 또는 기망 기타 방법으로 임의로 진술한 것이 아니라고 의심할 만한 이유가 있는 때에는 이를 유죄의 증거로 하지 못한다"고 규정한다. 그리고 고문 그 자체는 범죄에 해당하므로 고문을 행한 자는 처벌된다. 형법은 제125조에서 "재판, 검찰, 경찰 기타 인신구속에 관한 직무를 행하는 자 또는 이를 보조하는 자가 그 직무를 행함에 있어 형사피의자 또는 기타 사람에 대해 폭행 또는 가혹한 행위를 가한 때에는 5년 이하의 징역과 10년 이하의 자격정지에 처한다"고 규정한다.

현우는 사건 발생 당시 백철기 형사(한재영 분)로부터 가혹한 고문을 당하고 이를 버티지 못해 허위 자백한다. 그리고 이 허위 자백에 의한 진술만으로 강도살인죄로 기소되어 2심에서 징역 10년형을 선고받는다. 2003년 당시 군산경찰서 형사반장(박철민 분)이 진범을 잡았지만, 사건을 이송받은 담당 검사(김영재 분)가 증거부족을 이유로 불기소처분하면서 현우는 10년이 지나 만기출소한다. 그리고 2016년 11월 재심에서 무죄선고를 받은 후에야 억울한 누명을 벗었다.

형사소송은 개인에 대해 우위에 있는 검사를 내세워 수사나 공판이라는 공권력을 행사하는 제도이다. 이러한 국가권력에 대응해 수사나 재판에서 공정하고 객관적 결과를 이끌어 내기 위해 헌법상 권리로 보장된 것이 '변호인의 조력을 받을 권리'이다. 국가는 형사사건에서 피의자 또는 피고인이 법률적 조력이 필요한 경우 반드시 변호인의 도움을 받도록 기회를 부여해야 한다.

영화는 준영이 현우의 변호인으로서 재심법정에서 현우의 무죄를 입증하며 "자신은 지금 이 곳에 현우의 변호를 하러 온 것이 아니고, 15년 전 대한민국 사법부가 한 소년에게 저질렀던 잘못에 대해 사과할 수 있는 기회를 주고자 서 있다"며, "부디 이 재판의 결과가 그 소년에게 그리고 그 가족들에게 새로운 인생을 주는 기회가 되기를 바란다"고 변론하는 장면으로 끝난다. 그리고 "영화에 영감을 준 일명 '익산 약촌 오거리 택시기사 살인사건'의 재심은 2016년 11월 17일 무죄 확정판결이 내려졌다. 소년이 살인범으로 누명을 쓴 후 16년만의 일이다. 소년을 살인범으로 몰았던 경찰들은 법정에 섰으며, 진범은 체포되어 구속 수감되었다. 소년은 현재 가정을 꾸리고 두 아이의 아버지가 되었다. 이 사건을 맡은 박준영 변호사는 여러 재심 사건을 맡으며 일명 재심전문 변호사로 불린다"는 자막이 올라가며 영화는 끝난다.

아감벤의 "동시대인"으로서의 참된 면모를 보여 준 준영

최씨는 실제 2013. 4. 2. 광주고등법원 재노3호로 재심판결대상에 대한 재심을 청구했고, 해당 법원은 2016. 11. 17. 살인죄의 공소사실에 대해 "최씨의 수사기관에서의 자백진술은 신빙성을 인정하기 어렵고, 검사가 제출한 나머지 증거들만으로는 유죄를 인정하기 부족하다"고 보아 무죄를 선고했다.[117] 그리고 재심무죄판결 이후 최씨와 그의 가족은 정부와 당시 사건을 수사한 형사반장 이씨, 당시 진범을 불기소 처분한 검사를 상대로 손해배상청구소송을 제기했고, 1심 재판에서 승소해 총 16억원의 배상금을 받았다.

서울중앙지방법원은 당해 판결을 선고하면서 “국가가 국민의 기본권 수호는 못할지언정 위법한 수사로 무고한 시민에게 돌이킬 수 없는 피해를 입혔고, 이러한 불법행위가 다시는 저질러져서는 안 된다는 경각심을 가지게 할 필요가 있다”며 “원고들이 입은 피해는 평생 씻을 수 없지만 금전으로나마 피해의 일부라도 보전할 수밖에 없다”고 설시했다.[118]

정치철학자 조르조 아감벤(Giogio Agamben, 1942-)은 『벌거벗음』(*Nudita*)의 “동시대인이란 무엇인가?”에서 “동시대인은 시대의 빛이 아니라 어둠을 인식하기 위해, 그 곳에 시선을 고정시키는 존재”이며 “동시대성을 경험하는 자들에게 모든 시대는 어둠”이지만, “동시대인은 정확히 이 어둠을 볼 줄 아는 사람”이며, 동시에 “현재의 암흑에 펜을 적셔 글을 쓰는 사람”이라고 강조한다. [119]

영화 <재심>에서 준영은 아감벤이 말한 “동시대인”으로서의 참된 면모를 보여주며 거대한 사법제도의 부당한 권력에 맞서 세상을 움직였다.

● deep into the film ●

인신의 자유를 해하는 국가권력에 대한 통제제도

인권 분야에서 초기 법률의 발달은 영국의 존(John, 1166-1216) 왕과 그가 부과하는 세금에 불만을 품었던 귀족들 간의 계약인 1215년 '마그나카르타(Magna Carta)'에서 시작되었다. 이 합의는 국법과 귀족에 의한 합법적 판결, 즉 배심원에 의한 재판에 의하지 않고는 체포되거나 투옥되거나 재산을 빼앗기거나 법적 보호를 박탈당하거나 추방당하거나 어떠한 식으로든 괴롭힘을 당하지 아니할 권리를 '자유인'에게 보장했다. 그리고 여기에서의 '자유인'은 오직 재산을 소유한 남성에 한정되었다. 이 대헌장에 담긴 권리는 통치자의 권력을 제한하고 피통치자의 자유를 강화하기 위한 정치적 타협의 산물이었다.

한편 존 로크(John Locke, 1632-1704), 장자크 루소(Jean-Jacques Rousseau, 1712-1778) 등의 근대 철학자들은 근대국가가 성립될 당시 시민들의 요구가 '자연권'이나 '인간의 권리' 같은 표현으로 정립되는데 많은 영향을 주었고, 이는 1776년 '미국 독립선언문(Declaration of Independence)'과 1789년 프랑스 인권선언문인 '인간과 시민의 권리 선언(Déclaration des droits de l'homme et du citoyen)'으로 이어진다. 이후 서구에서는 근대 헌법이 제정되었고, 1948년 제정된 대한민국 헌법에 영향을 끼쳤다.

영국 '마그나카르트'의 영향을 받은 대한민국 헌법 제12조는 '인신의 자유'를 규정한다. 즉 "법률에 의하지 않고는 체포·구속·

압수·수색·심문을 받지 않는다(제1항)", "고문을 받지 않는다(제2항)", "불리한 진술을 강요받지 않는다(제2항)", "체포·구속·압수·수색 시에는 영장이 있어야 한다(제3항)", "체포·구속을 당했을 때는 변호인의 조력을 받아야 하고(제4항), 구속 이유와 변호인의 조력을 받을 권리를 고지 받으며(제5항)[120], 구속적부심사를 청구할 수 있고(제6항), 불리한 진술을 강요받지 않는다"(제7항)는 구체적 규정을 두었다.

또한 형사재판은 구두변론주의(형사소송법 제275조의 3), 공개주의(헌법 제27조 제3항, 헌법 제109조), 전문증거와 증거능력의 제한 규정(형사소송법 제310조의 2)을 통한 직접주의, 집중심리주의(형사소송법 제267조의 2 제1항, 제2항), 공소장 일본주의[121]를 원칙으로 진행된다.

폴 리쾨르(Paul Ricoeur, 1913-2005)는 "인간의 역사에서 폭력을 정당화하는 것은 국가들 간 또는 계급들 간 권력의 재분배를 통해 탄생한 제도에 기인한다"고 보고, 특히 국가를 "살인적 폭력에 의해 유지되고 세워지는 실재(實在)"라고 말한다.[122] 리쾨르의 말처럼 국가라는 존재는 늘 괴물이 될 가능성이 있으므로 이를 통제하기 위한 제도들은 반드시 필요하고, 검찰과 경찰 간 수사권의 조정을 통한 수사과정에서의 인권침해 방지 등 현재의 제도들 중 미완의 과제들에 대한 개혁이 필요하다.

주

1) Plessy v. Ferguson, 163 U. S. 537(1896)
2) Ducan v. Lousiana, 391 U. S. 145(1968)
3) Plessy v. Ferguson, 163 U. S. 537(1896)
4) Brown v. Board of Education, 347 U. S. 483(1954)
5) 리베카 솔닛, 설준규 옮김, 『어둠 속의 희망』, 창비, 2017, 32면
6) Brown v. Board of Education, 349 U. S. 294(1955)
7) Swann v. Charlotte-Mecklenburg Board of Education, 402 U. S. 1(1971)
8) 리베카 솔닛, 앞의 책, 42-43면
9) 존 스튜어트 밀, 서병훈 옮김, 『여성의 종속』, 책세상, 2018, 116-117면
10) New York Times Co. v. United States, 403 U. S. 713(1971)
11) 한국미국사학회, 『사료로 읽는 미국사』, 궁리출판, 2006, 501-506면
12) Gertz v. Robert Welch, Inc., 418 U. S. 323, 339-340(1974)
13) New York Times Co. v. Sullivan, 376 U. S. 254(1964)
14) 이 글은 2024. 4. 30. 발행된 「여성소비자신문」 261호 기고 글의 일부를 수정 및 보완한 것이다.
15) Hoyt v. Florida, 365 U. S. 57(1961)
16) Reed v. Reed, 404 U. S. 71(1971)
17) 인종평등을 목적으로 제정된 미연방수정헌법 제14조 제1항은 "어떠한 주도 적법절차에 의하지 아니하고서는 어떠한 사람으로부터도 생명, 자유, 또는 재산을 박탈할 수 없으며 그 지배권 내에 있는 어떠한 사람에 대하여도 법률에 의한 평등한 보호(equal protection of law)를 거부하지 못한다"고 규정된 평등권 보장규정이다.
18) Weinberger v. Wiesenfeld, 420 U. S. 636(1975)
19) United States v. Virginia, 518 U. S. 515(1996)
20) Ledbetter v. Goodyear Tire & Rubber Co., 550 U. S. 618(2007)
21) Shelby County v. Holder, 570 U. S. 529(2013)
22) Reed v. Reed, 404 U. S. 71(1971)
23) 루스 베이더 긴즈버그, 헬레나 헌트, 오현아 옮김, 『긴즈버그의 말』, 마음산책, 2020, 154면

24) 9인은 모두 대통령이 상원의 동의를 받아 임명하며, 헌법에 의해 종신제의 임기와 보수가 보장된다.
25) 연방 문제에 관련된 사건은 연방헌법이나 형법에 관련된 사건으로 특히 연방헌법상 기본권이 침해된 사건을 말한다.
26) Marbury v. Madison, 5 U. S. 137(1803)
27) 사법연수원, 『미국헌법』, 2006, 45-47면
28) 강대민, 『부산지역 학생운동사』, 국학자료원, 2003, 421면
29) 부산지방법원 2014. 2. 13 선고 2012재노18 판결
30) 대법원 2014. 9. 25. 선고 2014도3168 판결
31) 2013. 6. 4. 제11851호로 제정된 법률
32) 헌법재판소 2019. 4. 11. 선고 2016헌마418 결정
33) 헌법재판소 2018. 8. 30. 선고 2014헌바180 결정
34) 방승주, "일제식민지 지배청산 관련 헌법재판소 판례에 대한 헌법적 분석과 평가", 『헌법학연구』(22-4), 한국헌법학회, 2016, 55, 58, 72면
35) 이정희, "영국 노동연계복지 정책의 비판적 검토", 「국제노동브리프」(11-4), 한국노동연구원, 2013, 66-75면
36) 다니엘은 질병수당 수급자에 해당되지 않는다는 우편통지를 받고 이에 대해 항고를 제기하고자 했으나, 절차적으로 우편 통지를 받기 전에 구두로 거절통보를 받아야만 우편 통지에 대해 항고를 할 수 있으므로, 구두통보를 받기 전에는 질병수당 지급거부에 대해 이의를 할 수 없고, 구직수당 신청만 가능했던 것이다.
37) 하성태, "세계적 감독이 한국에 보내온 편지, 거장의 위엄", 「오마이뉴스」, 2017. 8. 13(https://star.ohmynews.com/NWS_Web/OhmyStar/at_pg.aspx?CN TN_CD=A0002347766)
38) 2017. 8 기초법바로세우기 공동연대 등이 고(故)최인기씨의 죽음에 대한 국가배상소송을 알리는 기자회견을 열면서 행한 서명운동에 켄 로치 감독과 <나, 다니엘 블레이크> 영화 제작진들도 동참했다.
허현덕, "켄 로치 감독도 동참한 '나, 다니엘 블레이크 선언'이란?", 「비마이너」, 2019. 5. 23(https://www.beminor.com/news/articleView.html?idxno=13446)
39) 수원지방법원 2019. 12. 20. 선고 2017가단53107 판결
40) 수원지방법원 2020. 10. 29. 선고 2020나51686 판결; 보건복지부는 대상 판결의 선고 이후 활동능력 평가에서 신체능력 항목의 배점을 상향하고, 항목을 개선해 평가의 객관성 및 타당성을 제고하기 위해 2020. 1. 13. '근로능력의 평가의 기준 등에 관한 고시'를 개정했다.

41) 천호성, “지난해 한국 사회보장 지출 ‘OECD 최하위’ 수준”, 「한겨레」, 2023.9.17(https://www.hani.co.kr/arti/society/rights/1108878.html)

42) 기초생활보장법은 18세 이상 64세 이하의 수급자는 근로능력이 있는 것으로 보고 자활사업 참여를 조건으로 생계급여를 실시하도록 하는 조건부 수급제도를 시행한다(제9조 제5항). 다만 중증장애인 또는 질병, 부상 또는 후유증으로 치료나 요양이 필요한 사람 중에서 근로능력 평가를 통해 보장기관이 근로 능력이 없다고 판정한 사람(시행령 제7조 제1항 제2호) 등은 근로능력이 없는 것으로 보아 조건부 수급 대상에서 제외한다. 이에 따라 근로능력 평가의 기준, 방법 및 절차를 구체화하기 위해 보건복지부가 마련한 ‘근로능력평가의 기준 등에 관한 고시’에는 근로능력 평가 항목을 수급자의 질환이나 장애에 대한 의학적 평가와 근로수행 능력에 영향을 미치는 활동능력평가로 구분해 각 평가기준을 구체화한다.

43) 보장기관은 국민연금공단으로부터 통보받은 근로능력 평가 결과를 토대로 근로능력 판정을 실시한다(고시 제11조 제1항 제1호). 근로능력 유무의 판정은 의학적 평가 결과와 활동능력평가를 종합해 이루어지는데, 의학적 평가 결과가 3단계 및 4단계인 경우(가목), 의학적 평가 결과가 2단계로서 활동능력 평가 결과가 44점 이하인 경우(다목), 의학적 평가 결과가 1단계로서 활동능력 평가 결과가 36점 이하인 경우(라목)에 해당하면 ‘근로능력 없음’으로, 상기 각 목에 해당하지 않는 경우에는 ‘근로능력 있음’으로 판정한다.

44) UN General Assembly, *Extreme poverty and human rights Report by the Secretary-General*(A/66/265), 2011

45) 수원지방법원 2019. 12. 20. 선고 2017가단531037 판결

46) 수원지방법원 2020. 10. 29. 선고 2020나51686 판결

47) 이 글은 「가톨릭 평론」 2024년 여름호(44호) 기고 글의 일부를 수정 및 보완한 것이다.

48) 고용노동부 보도자료, “2021년 플랫폼 종사자, 취업자의 8.5%인 220만 명”, 2021.11.19(https://www.moel.go.kr/news/enews/report/enewsView.do?news_seq=12928)

49) ‘긱(gig)’은 1920년대 미국에서 재즈(jazz) 연주자들이 관객의 요청에 따라 그 때 그때 즉흥적으로 공연하던 것에서 유래한 말로, 2019년 매리엄-웹스터 (Merriam-Webster) 사전에 “서비스 분야에서 임시직이나 프리랜서를 활용하는 경제적 활동”으로 등재되었다.

50) '노무제공자'란 근로기준법상 근로자가 아니거나 근로자인지 여부가 불분명하지만 일하는 모습이 근로기준법상 근로자와 유사한 면이 있고 사회적 보호가 필요하며, 종속적 노동의 모습과 독립적 노동의 모습을 동시에 지닌 고용형태로 일하는 사람들로 학습지 교사, 골프장 캐디, 퀵 서비스 기사 등을 말한다. 그리고 과거에는 특수형태근로종사자로 불렸는데, 최근에는 노무제공자로 불린다.
51) 김명진, "여전히 택배 노동자가 죽는다…올해만 4명 '과로' 질병·사망", 「한겨레」, 2022.6.21 (https://www.hani.co.kr/arti/society/labor/1047892.html)
52) 정해진 노동시간 없이 임시직 계약을 체결한 후, 일한 만큼 시급을 받는 노동 계약을 말한다.
53) 영화의 원제인 "Sorry, We missed You"는 영국에서 택배 수신인이 부재중일 때 남기는 쪽지에 적힌 문구이다.
54) 해당 판결문에서 영국 대법원은 우버 기사를 노동자가 아닌 '파트너'로 명시한 계약서는 그 계약서상의 문구가 아니라, 우버 기사가 일한 실태를 살펴 노동자인지 여부를 판단해야 한다고 설시(說示)했다(Uber BV and others v. Aslam and others(2021, UKSC 5)
55) 서울행정법원 2023.1.12. 선고 2021구합71748 판결
56) 서울고등법원 2024.1.24. 선고 2023누34646 판결
57) 대법원 2018.6.15. 선고 2014두12598, 2014두12604(병합)판결
58) 서울행정법원 2022. 7. 8. 선고 2020구합70229 판결
59) 서울고등법원 2023. 12. 21. 선고 2022누56601 판결
60) 우춘희,『깻잎 투쟁기: 캄보디아 이주노동자들과 함께 한 1500일』, 교양인, 2022
61) 항소심에서는 "(i) 용역회사는 참가인과 프리랜서 계약을 체결한 당사자이기는 하나 그 계약의 주요 내용은 용역회사가 원고와 체결한 운전용역계약에 따른 것이며, 용역회사에게는 사실상 임금, 근로시간, 업무내용 등 참가인의 근로조건을 결정할 권한이 없었다. 용역회사는 원고의 결정에 따라 참가인을 비롯한 모든 프리랜서 드라이버와 변경된 근로조건으로 계약서를 새로 작성하기도 했다. (ii) 용역회사가 모집공고를 했으나 채용회사의 상호가 별도로 기재되어 있지 않고 '타다 드라이버 채용'이라고 기재되어 있었으며, 원고의 자회사 브이씨엔씨는 '타다 드라이버 운행제한 이력 정보'를 용역회사와 공유하고 용역회사를 방문해 드라이버 모집 프로세스 가이드를 배포하고 그에 따른 실행계획을 회신하도록 하는 등 타다 드라이버 채용 과정에도 타다 서비스 운영자가 관여했다. (iii) 타다 앱을 통해 제공

받은 근태 정보 외에는 용역회사가 별도로 참가인 등 프리랜서 드라이버의 무상황과 관련한 어떠한 자료도 가지고 있지 않았다. (iv) 용역회사는 브이씨엔씨로부터 제공받은 교육자료, 근무 규정 등을 일부만 수정한 채 거의 그대로 사용했고, 브이씨엔씨로부터 참가인 등에 대한 근태 관리를 지시받고 그에 따른 수행결과를 보고하기도 했다는 점을 종합하면 용역회사의 주된 사업 내용은 원고가 운영하는 타다 서비스 사업에 필요한 운전인력을 모집해 공급하고, 원고로부터 그 인력에 대한 보수를 지급받아 전달하는 일이 주된 것이었음을 알 수 있고 그 과정에서 용역회사는 프리랜서 드라이버에 대해 독자적인 노무관리를 하지 않았다"고 판시했다.

62) 항소심에서는 "(i) 원고는 2018. 10.경 개시된 타다 서비스의 운영을 위해 2018. 8. 브이씨엔씨를 자회사로 인수했고, 타다 서비스 베타서비스 기간인 2018. 8. 1. 브이씨엔씨와 예약중개계약을 체결해 타다 서비스의 준비과정에서부터 브이씨엔씨로 하여금 타다 앱과 연관된 타다 서비스 운영에 대한 업무를 수행하도록 했다. (ii) 브이씨엔씨는 원고의 타다 서비스 사업에 필요한 이용자 모집, 용역회사들 관리 등 업무를 수행했다. 그런데 타다 서비스 사업은 원고의 사업으로서 그 사업에 필요한 프리랜서 드라이버 고용 및 관리 업무는 브이씨엔씨의 예약중개사업과는 직접적 관련이 없다. (iii) 브이씨엔씨가 원고와 체결한 예약중개계약에 근거해 타다 앱을 운영하면서 타다 드라이버에 대한 지휘·감독을 했더라도 이것은 결국 브이씨엔씨 자신의 사업을 위한 업무를 행한 것이 아니라 타다 서비스 운영자인 원고를 대행해 이루어진 것에 불과하다. (iv) 브이씨엔씨는 타다 앱을 통한 제반 업무를 수행하면서 원고로부터 타다 서비스 이용 금액의 10%에 해당하는 수수료만을 지급받았던 반면, 원고는 차량과 내부비품을 직접 소유하고 주유비, 세차비 등 차량과 관련된 부대비용을 일체 부담했을 뿐만 아니라 타다 드라이버에 대한 용역대금도 부담했다. 따라서 원고는 타다 서비스를 통한 이윤창출과 손실의 초래 등 위험을 모두 부담했다"고 보았다.

63) 이 글은 「가톨릭 평론」 2024년 봄호(43호) 기고 글의 일부를 수정 및 보완한 것이다.

64) 서왕진, "IT는 청정산업?…감춰진 환경오염 주목하라", 「한겨레」, 2010.6.13(https://www.hani.co.kr/arti/opinion/column/425385.html)

65) 서왕진, 위의 글 참고

66) 서울행정법원 2011.6.23 선고 2010구합1149 판결

67) 〈또 하나의 약속〉은 시간적으로 서울행정법원 2011.6.23 선고 2010구합1149 판결선고까지를 다루었고, 1심 판결 이후 근로복지공단의 항소 및 상고 포기를 거쳐 서울고등법원 2014.8.21. 선고 2011누23995판결로 고(故) 황유미 씨에 대해 최종적으로 산재승인이 이루어졌다.

68) 예를 들면 산재보상에서 가장 어려운 쟁점중 하나인 업무와 재해간 상당인과 관계에 대한 입증책임은 여전히 노동자에게 있지만, 2010년 '삼성 반도체 백혈병 산재 사건' 투쟁에 힘입어 고용노동부는 2018년 8월부터 이른바 '추정 의 원칙'을 도입해 반도체 디스플레이 종사 노동자에게 발생한 업무상 질병의 경우 8개 상병(백혈병, 다발성경화증, 재생불량성빈혈, 난소암, 뇌종양, 악성림 프종, 유방암, 폐암)을 일정한 조건하에 역학조사를 생략해 업무 관련성을 추정 판단하게 했다.

69) 1930년대 찰리 채플린(Charles Chaplin, 1889-1977)은 영화 〈모던 타임즈〉를 통해 거대한 톱니바퀴의 일부가 된 노동자들, 생산 현장에서의 인간성 상실, 실업과 빈곤 등의 당대 현실을 그리며 자본주의와 기계화로 인한 인간 소외 현상을 강하게 비판했다. 그리고 이러한 사회비판에 그치지 않고 끊임없이 삶의 의미를 추구하고 긍정적으로 세상을 바라보는 주인공 찰리를 통해 미래에 대한 희망을 이야기했다.

70) 대전지방법원 2022. 2. 10. 선고 2020고단809 판결

71) 대전지방법원 2023. 2. 9. 선고 2022노462 판결

72) 대법원 2023. 12. 7. 선고 2023도2580 판결

73) '이랜드 사건'의 상세한 내용은 유경순, 『2007-2008년 이랜드홈에버 여성노동자들의 저항과 연대 510일 제1-제2권』, 봄날의 박씨, 2020 참고

74) 홈플러스 일반노조는 1997년 한국까르푸노조에서 시작되었다. 정규직 노동자들이 가입되어 있던 까르푸노조는 투쟁을 통해 2005년 비정규직 노동자 들도 노조에 가입할 수 있는 자격을 확보했다. 까르푸가 이랜드 그룹으로 매각된 후 까르푸노조는 이랜드노조와 통합해 2006년 12월 이랜드 일반노조를 결성했다. 이에 2007년 6월 30일부터 2008년 11월 13일 까지 비정규직의 정규직화를 요구하며 '510일 투쟁'을 벌였다. 이랜드 홈에버가 삼성테스코자본에 매각되어 자본이 분리되면서 이랜드일반노조는 조직분

리를 해 2008년 11월 홈플러스테스코노조로 명칭을 변경했다. 이후 2016년 홈플러스일반노조로 다시 명칭이 변경되어 활동하면서 조합원의 힘으로 2019년 비정규직을 모두 정규직으로 전환했다.

75) 대법원 2013. 11. 28. 선고 2011다39946 판결
76) 리베카 솔닛, 앞의 책, 31-32면
77) 대법원 1998. 5. 8. 선고 97누448 판결
78) 조병인·강성국·송봉규, 『주택재개발·재건축사업의 탈법운영 및 실태 및 대책』, 한국형사정책연구원, 2008, 39-46면
79) 서울중앙지방법원 2009. 10. 28. 선고 2009고합 153, 168, 247판결
80) 대법원 2010. 11. 11. 선고 2010도7621판결
81) 2007년 형사소송법 개정으로 피고인 또는 변호인이 공소제기된 사건에 관한 서류 또는 물건의 열람·등사 등을 신청할 수 있도록 하는 증거개시제도가 명문으로 도입되었고(제266조의3), 검사의 거부처분에 대해 변호인은 법원에 교부명령을 신청할 수 있게 되었다(제266조의4).
82) 대법원 2010. 2. 25 자 2010모 100결정
83) 대법원 2010. 2. 25 자 2010모 205결정
84) 헌법재판소 2010. 6. 24. 선고 2009헌바257 결정
85) 대법원 2012. 11. 15. 선고 2011다48452 판결
86) 변창흠, "정비사업에서 세입자 주거권의 성격과 침해구조에 대한 비판적 고찰", 「공간과 사회」(36), 한국공간환경학회, 2011, 121면
87) 헌법재판소 2011. 11. 24. 선고 2010헌가95 결정
88) 헌법재판소 2010. 12. 28. 선고 2010헌바219 결정
89) 헌법재판소 2011. 11. 24. 선고 2010헌가95 결정
90) 헌법재판소 2010. 12. 28. 선고 2008헌마 571 결정
91) 대법원 1998. 10. 13. 선고 98다18520 판결
92) 대법원 2008. 10. 9. 선고 2007다40031 판결
93) Anderson v. Cryovac Inc., 96 F. R. D. 431(D. Mass., 1983)
94) 우번 사건은 Lewis A. Grossman & Robert G. Vaughn, *A Documentary Companion to A Civil Action*, Foundation press, 2010 에서 상세히 다루고 있다.
95) In re Joint Eastern & Southern District Agestos Litigation, 129 Bankr. 710(E & S. D. N. Y., 1991)
96) State of Washington and State of Minnesota v. Trump, 847 F3d 1151(9th Cir. 2017)

97) Trump v. Hawaii, 585 U. S._(2018)
98) Reno v. American-Arab Anti Discrimination Committee, 525 U. S. 471(1999)
99) 서울중앙지방법원 2021. 12. 3. 선고 2018가단5200580 판결은 법무부 난민면접 조작사건에 대해 국개배상책임을 인정했다.
100) 이 글은 2024. 5. 15. 발행「여성소비자신문」262호 기고 글의 일부를 수정 및 보완한 것이다.
101) 리베카 솔닛, 앞의 책, 12면
102) Geoffrey de C. Parmitter, *The Indictment of Saint Thomas More*, 「Downside Review」(75), 1957, p. 161
103) John Baker, *An Introduction to English Legal History*, Oxford University Press, 2011, pp. 12-27
104) 최대권, 『영미법』, 박영사, 1998, 240-243면
105) 피정현, "영미법상의 common law", 「원광법학」(16), 원광대학교 법학연구소, 1999, 30-31면
106) Baker, *op. cit*., p. 54
107) 최대권, 앞의 책, 244면
108) 이병훈, "영국법의 형성과 법원", 「비교법학」(1-1), 전주대학교 비교법학연구소, 2000, 37-38면
109) 이병훈, 위의 논문, 38-39면
110) 최대권, 앞의 책, 251면
111) 헌법재판소 2011. 6. 30. 선고 2009헌바30 결정
112) 대법원 2009. 7. 16. 선고 2005모472 판결
113) 대법원 1995. 11. 8. 선고 95모67 결정
114) 대법원 1995. 11. 8. 선고 95모67 결정
115) 전주지방법원 2001. 2. 2. 선고 2000고합127 판결
116) 광주고등법원 2001. 5. 17. 선고 2001노76 판결
117) 광주고등법원 2016. 11. 17. 선고 2013재노3 판결
118) 서울중앙지방법원 2021. 1. 13. 선고 2017가합533599 판결

118) 서울중앙지방법원 2021. 1. 13. 선고 2017가합533599 판결

119) 조르조 아감벤, 김영훈 옮김, 『벌거벗음』, 인간사랑, 2014, 27-35면

120) 형사소송은 개인에 대해 우위에 있는 검사를 내세워 수사나 공판 등의 공권력을 행사하는 제도이다. 이러한 국가권력에 대응해 수사나 재판에서 공정하고 객관적 결과를 이끌어내기 위해 헌법상 권리로 보장된 것이 '변호인의 조력을 받을 권리'이다. 또한 '고지받아야 한다'는 부분은 '미란다 원칙(Miranda Warning)'에 관한 내용으로 1987년 헌법 개정시 포함되었다. 이는 소녀를 납치, 강간한 혐의로 경찰에 체포된 미란다가 범죄를 시인하는 자백진술을 하고, 애리조나(Arizona)주 법원에서 각각 20년, 30년 형을 선고받은 사건에서 미연방대법원이 "해당 자백진술은 변호인의 조력을 충분히 받지 못하고, 진술거부권도 충분히 보장받지 못한 상태에서 이루어진 것이므로 유죄의 증거로 삼을 수 없다"(Miranda v. Arizona, 384 U.S. 436(1966))고 판시한 것에서 성립되었다.

121) 공소장 일본주의는 검사가 공소를 제기시 제출하는 공소장 이외의 다른 자료를 인용하지 못하는 것을 말한다. 이를 통해 법관이 백지상태에서 공판에 임하도록 함으로써 재판의 공정성을 확보하기 위한 제도이다.

122) 폴 리쾨르 지음, 박건택 옮김, 『역사와 진리』, 솔로몬, 2002, 299-363면

참고문헌

단행본

강대민, 2003, 『부산지역 학생운동사』, 국학자료원
국가인권위원회, 2007, 『유엔인권조약제도』
도로테 죌레, 박경미 옮김, 2018, 『사랑과 노동: 창조의 신학』, 분도출판사
루스 베이더 긴즈버그·헬레나 헌트, 오현아 옮김, 2020, 『긴즈버그의 말』, 마음산책
리베카 솔닛, 설준규 옮김, 2017, 『어둠속의 희망』, 창비
마사 누스바움, 임현경 옮김, 2020, 『타인에 대한 연민』, 알에이치코리아
사법연수원, 2006, 『미국민사법』
사법연수원, 2006, 『미국헌법』
사법연수원, 2006, 『미국형사법』
우춘희, 2022, 『깻잎투쟁기-캄보디아 이주노동자들과 함께 한 1500일-』, 교양인
유경순, 2020, 『2007-2008년 이랜드홈에버 여성노동자들의 저항과 연대 510일 제1-제2권』, 봄날의 박씨
조르조 아감벤, 김영훈 옮김, 2014, 『벌거벗음』, 인간사랑
조병인·강성국·송봉규, 2008, 『주택재개발·재건축사업의 탈법운영 실태 및 대책』, 한국형사정책연구원
존 스튜어트 밀, 서병훈 옮김, 2018, 『여성의 종속』, 책세상
질 들뢰즈, 이정하 번역, 2005, 『시간·이미지』, 시각과 언어
최대권, 1998, 『영미법』, 박영사
폴 리쾨르, 박건택 옮김, 2002, 『역사와 진리』, 솔로몬
한국미국사학회, 2006, 『사료로 읽는 미국사』, 궁리출판
Baker John, 2011, *An Introduction to English Legal Histor*y, Oxford University Press

Lipset Seymour Martin, 1995, *The encyclopedia of democracy*, Routledge
Grossman Lewis A. & Vaughn, Robert G., 2010, *A Documentary Companion to A Civil Action*, Foundation press

논문

방승주, 2016, "일제식민지 지배청산 관련 헌법재판소 판례에 대한 헌법적 분석과 평가,「헌법학연구」(22-4), 한국헌법학회
변창흠, 2011, "정비사업에서 세입자 주거권의 성격과 침해구조에 대한 비판적 고찰",「공간과 사회」(36), 한국공간환경학회
이병훈, 2000, "영국법의 형성과 법원",「비교법학」(1-1), 전주대학교 비교법학연구소
이정희, 2013, "영국 노동연계복지 정책의 비판적 검토",「국제노동브리프」(11-4), 한국노동연구원
피정현, 1999, "영미법상의 common law",「원광법학」(16), 원광대학교 법학연구소
Parmitter Geoffrey de C., 1957, *The Indictment of Saint Thomas More*,「Downside Review」(75)
UN General Assembly, 2011, *Extreme poverty and human rights Report by the Secretary-General*(A/66/265)

기사

고용노동부 보도자료, 2021, "2021년 플랫폼 종사자, 취업자의 8.5%인 220만명", 2021. 11. 19 (https://www.moel.go.kr/news/enews/report/enewsView.do?news_seq=12928)
김명진, 2022, "여전히 택배노동자가 죽는다... 올해만 4명 '과로' 질병·사망",「한겨레」 2022. 6. 21(https://www.hani.co.kr/arti/society/labor/1047892.html)

서왕진, 2010, “IT는 청정산업?...감춰진 환경오염 주목하라”, 「한겨레」 2010. 6.13(https://www.hani.co.kr/arti/opinion/column/425385.html)
천호성, 2023, “지난해 한국 사회보장 지출 ‘OECD 최하위’수준”, 「한겨레」 2023.9.17(https://www.hani.co.kr/arti/society/rights/1108878.html)
하성태, 2017, “세계적 감독이 한국에 보내온 편지, 거장의 위엄”, 「오마이뉴스」 2017. 8. 13 (https://star.ohmynews.com/NWS_Web/OhmyStar/at_pg.aspx? CNTN_CD=A0002347766)
허현덕, 2019, “켄 로치 감독도 동참한 ‘나, 다니엘 블레이크 선언’이란?”, 「비마이너」, 2019. 5. 23 (https://www.beminor.com/news/articleView.html?idxno=13446)

영·미 판례

Anderson v. Cryovac Inc., 96 F. R. D. 431(D. Mass., 1983)
Brown v. Board of Education, 347 U. S. 483(1954)
Brown v. Board of Education, 349 U. S. 294(1955)
Ducan v. Losiana, 391 U. S. 145(1968)
Gertz v. Robert Welch Inc., 418 U. S. 323, 339-40(1974)
Hoyt v. Florida, 365 U. S. 57(1961)
In re Joint Eastern & Southern District Agestos Litigation, 129 Bankr. 710(E & S. D. N. Y., 1991)
Ledbetter v. Goodyear Tire & Rubber Co., 550 U. S. 618(2007)
Marbury v. Madison, 5 U. S. 137(1803)
Miranda v. Arizona, 384 U. S. 436(1966)
New York Times Co. v. United States, 403 U. S. 713(1971)
Pleesy v. Ferguson, 163 U. S. 537(1896)

Reed v. Reed, 404 U.S. 71(1971)
Reno v. American-Arab Anti Discrimination Committee, 525 U. S. 471(1999)
Shelby County v. Holder, 570 U. S. 529(2013)
State of Washington and State of Minnesota v. Trump, 847 F.3d 1151(9th Cir. 2017)
Swan v. Charlotte-Mecklenburg Board of Education, 402 U. S. 1(1971)
Trump v. Hawaii, 585 U. S._(2018)
United States v. Virginia, 518 U. S. 515(1996)
Weinberger v. Wiesenfeld, 420 U. S. 636(1975)

국내 판례

광주고등법원 2001. 5. 17. 선고 2001노76 판결
광주고등법원 2016. 11. 17. 선고 2013재노3 판결
대법원 1995. 11. 18. 선고 95모67 결정
대법원 1998. 5. 8. 선고 97누448 판결
대법원 1998. 10. 13. 선고 98다18520 판결
대법원 2008. 10. 9. 선고 2007다40031 판결
대법원 2009. 7. 16. 선고 2005모 472 판결
대법원 2010. 2. 25. 자 2010모 100 결정
대법원 2010. 2. 25. 자 2010모 205 결정
대법원 2010. 11. 11. 선고 2010도7621 판결
대법원 2012. 11. 15. 선고 2011다48452 판결
대법원 2013. 11. 28. 선고 2011다39946 판결
대법원 2014. 9. 25. 선고 2014도3168 판결
대법원 2018. 6. 15. 선고 2014두12598, 2014두12604(병합) 판결
대법원 2023. 12. 7. 선고 2023도2580 판결
대전지방법원 2022. 2. 10. 선고 2020고단809 판결
대전지방법원 2023. 2. 9. 선고 2022노462 판결

부산지방법원 2014. 2. 13. 선고 2012재노18 판결
서울고등법원 2014. 8. 21. 선고 2011누23955 판결
서울고등법원 2023. 12. 21. 선고 2022누56601 판결
서울고등법원 2024. 1. 24. 선고 2023누34646 판결
서울중앙지방법원 2009. 10. 28. 선고 2009고합 153, 168, 247 판결
서울중앙지방법원 2021. 1. 13. 선고 2017가합533599 판결
서울중앙지방법원 2021. 12. 3. 선고 2018가단5200580 판결
서울행정법원 2011. 6. 23. 선고 2010구합 1149 판결
서울행정법원 2022. 7. 8. 선고 2020구합70229 판결
서울행정법원 2023. 1. 12. 선고 2021구합71748 판결
수원지방법원 2019. 12. 20. 선고 2017가단 53107 판결
수원지방법원 2020. 10. 29. 선고 2020나 51686 판결
전주지방법원 2001. 2. 2. 선고 2000고합127 판결

헌법재판소 결정

헌법재판소 2004. 5. 14. 선고 2004헌나1 결정
헌법재판소 2010. 6. 24. 선고 2009헌바257 결정
헌법재판소 2010. 12. 28. 선고 2008헌마571 결정
헌법재판소 2010. 12. 28. 선고 2010헌바219 결정
헌법재판소 2011. 6. 30. 선고 2009헌바30 결정
헌법재판소 2011. 11. 24. 선고 2010헌가95 결정
헌법재판소 2017. 3. 10. 선고 2016헌나1 결정
헌법재판소 2018. 8. 30. 선고 2014헌바180 결정
헌법재판소 2019. 4. 11. 선고 2016헌마418 결정

그림 출처

각 영화 포스터 출처: 유튜브(YouTube) 영화